Gefährliche Wege

Emile de Harven

Illustrations by
Joseph R. Bergeron

Language Consultant:
Hannelore Shea

EMC Corporation
St. Paul, Minnesota

Library of Congress Cataloging in Publication Data

De Harven, Emile.
Gefährliche Wege.

SUMMARY: Follows the activities of art thieves from Hamburg as they travel to Yucatan in search of pre-Columbian artifacts.
1. German language–Readers. [1. German language–Readers. 2. Mystery and detective stories] I. Bergeron, Joseph R. II. Title.
PF3117.D34 438'.6'421 75-29089
ISBN 0–88436–256–6

Published 1976
Published by EMC Publishing
300 York Avenue, Saint Paul, Minnesota 55101
Printed in the United States of America
0987

Table of Contents

Introduction

Gefährliche Wege is a suspense thriller of international intrigue written in twenty short episodes. This mystery follows art thieves from the misty harbors of Hamburg to a treacherous border crossing in Yucatan in search of valuable pre-Columbian artifacts.

The program is intended for beginning-intermediate German students. With the accompanying book, seven recordings (tapes or cassettes) and a comprehensive Teacher's Guide, the program will help the student to improve his ability to speak German and to understand it when spoken naturally by German people.

Gefährliche Wege covers progressively the most common patterns of speech in everyday German. Each episode contains, besides highly motivational subject matter, useful vocabulary and conversational exchanges.

The *book* begins with a general introduction followed by the text of each episode along with the corresponding questions. Numerous illustrations help convey the particular highlight of each episode. At the end of the book is the vocabulary section listing all the words used in the episodes.

The *tapes* and *cassettes* contain dramatic reproductions of all twenty episodes, recorded by professional German actors. Background and special effects create a realistic atmosphere for the student's listening and reading pleasure. Finally, listening comprehension tests for each episode have been recorded to measure the student's understanding of the recorded sections.

This series is designed so that the student can learn and improve his German in an entertaining way and, at the same time, achieve reasonable fluency, a good pronunciation and the confidence to use his German in conversation.

1 Ein schlechter Start

Dies ist eine Geschichte ohne Helden.
Unsere Geschichte beginnt in Hamburg. Wir befinden uns in einer Villa im Hamburger Vorort Blankenese. Hier wohnen Herr und Frau Hartmann, Herbert und Ute Hartmann. Es ist neun Uhr morgens. Hartmanns sitzen beim Frühstück.

Ute: Kaffee?

Herbert: Ja bitte, nur eine halbe Tasse. Danke, das ist genug.

Ute: Hier ist der Zucker. Hier ist die Milch.

Herbert: Danke, mein Liebling. Und nun die Zeitung. . . Mal sehen, was es Neues gibt, ich glaube. . . .Seite sechs. Hier *Neues von der Börse*. Nein, das kann doch nicht wahr sein! Der Dollar ist schon wieder gesunken. Und natürlich auch das Pfund. Und das Gold, sogar der Goldpreis ist niedriger. Das ist ja unglaublich!

Ute: Was ist los? Schlechte Nachrichten?

Herbert: Müller-Chemie hat erneut ihre Aktien gesenkt.

Ute: Na und?

Herbert: *(imitierend)* Na und? Das ist entsetzlich!

Ute: Gibt es sonst nichts Neues?

Herbert: Die Müller-Chemie Aktien sind gesunken und da fragst du noch: „Gibt es sonst nichts Neues?" Überleg doch mal, ich habe bei dieser Firma tausend Aktien gekauft.

Ute: Seit wann?

Herbert: Seit gestern, genauer seit gestern nachmittag. Und hier steht: „Müller-Chemie in Schwierigkeiten. Die Aktien sinken. Experten prophezeien den Bankrott." Bankrott, ich werde wahnsinnig, ich bin am Ende.

Ute: Natürlich, du hast Müller-Chemie Aktien. Du bist wirklich wahnsinnig, mein armer Herbert. Sagst du nicht immer: „Ich bin ein großartiger Finanzexperte." Sieh dich doch an, jedesmal spekulierst du falsch!

Herbert: Hör auf. Spare dir deine Bemerkungen. Gib mir noch eine Tasse Kaffee. Das ist ein schrecklicher Verlust. . .

Ute: Entschuldige bitte, Herbert, das tut mir wirklich leid; aber es ist immer dasselbe. Wall Street, die Londoner Börse, Paris, Brüssel . . . jedesmal verlierst du.
Nein, das stimmt nicht. Nicht jedesmal.

Ute: Nicht jedesmal, aber meistens. Du verlierst fast immer. Zum Beispiel, heute verlierst du.

Herbert: Vielleicht. Aber heute, das ist etwas anderes. Es ist schrecklich.

Ute: Weißt du, das ist deine Schuld. Du läßt dich immer auf schlechte Affairen ein, und hinterher beschwerst du dich.

Herbert: *Ich* beschwere mich?

Ute: Natürlich, gerade jetzt bist du wieder unzufrieden.

Herbert: Nein, mein Herz, *du* bist unzufrieden.

Ute: Gut, wenn du willst. Aber du bist auch wirklich ein Dummkopf.

Herbert: Aha! Siehst du? Du bist unzufrieden, nicht ich. Ich bin nur nervös. Was gibt es sonst noch. . . Hör dir das an: „Sensationeller Kunstraub. Drei Picassos, zwei Braques und fünf Légers verschwanden aus einer Privatsammlung.“ Natürlich, Kunstgegenstände.

Ute: Natürlich, wieso?

Herbert: Kunstgegenstände verlieren nie an Wert, im Gegenteil. Kunstsammlungen sind immer eine gute Kapitalanlage.

Ute: Jetzt willst du wohl Picassos an den Wänden. . .Hast du auch das Geld für deine Picassos?

Herbert: Ich weiß. Ich weiß. Aber ich habe da eine Idee.

Ute: Ich kenne deine Ideen. Ein stabiles Bankkonto ist mir lieber.

Herbert: Hör auf. Davon verstehst du nichts.

Herbert Hartmann hat also eine andere Idee, eine gute Idee. Wir verlassen dieses Haus mit seiner ungemütlichen Atmosphäre. Wir verlassen Herbert und Ute Hartmann. Wir wollen drei andere Personen aus dieser Geschichte ohne Helden treffen. Ihre Namen? Bernd Schulz, vierundzwanzig Jahre; ohne Beruf, ohne Arbeit, ohne Geld. Brigitte Jacobs. Wie alt? Das ist natürlich ein Geheimnis! Sie ist. . . Jahre alt und sehr hübsch. Sie ist Pilotin; jawohl, sie ist Flugzeugpilotin für kleinere Flugzeuge. Dann treffen wir noch Thomas Klaßen, Herrn Professor Thomas Klaßen; er ist Archäologe und ein Experte für Kunst und die Kultur der Mayas. Aber zunächst treffen wir Bernd Schulz. Er ist in einer kleinen Bar im Hamburger Stadtteil Sankt Pauli.

Bernd: Kellner, nochmal dasselbe.

Kellner: Oh, nein.

Bernd: He, was ist los. Warum nicht?

Kellner: Ohne Geld gibt es nichts zu trinken.

Bernd: Geld, Geld! Immer dasselbe. Ich bin doch hier in einer Kneipe und nicht im Supermarkt.

Kellner: Na gut. Noch ein Bier. Aber morgen wird bezahlt, verstanden.
Bernd: Klar, morgen. Ein „Prost“ auf morgen. Mensch, wer kommt denn da? He, Mieze, meine Süße. Wie geht's? Du siehst mal wieder toll aus. Komm an meine Seite. Kellner, ein Bier für meine Mietze.
Kellner: Herr Kellner, bitte ein Bier!
Bernd: Na schön, bitte ein Bier.

Und nun treffen wir Brigitte Jacobs, unsere hübsche Pilotin. Sie telefoniert gerade mit einer Freundin.
Brigitte: Ja, hier ist Brigitte! Wie geht's? Danke, mir geht's gut. Natürlich, ich fliege noch immer, sogar sehr viel. Heute nachmittag fliege ich zum Beispiel wieder. Wie bitte? Natürlich gefällt es mir noch immer, aber ich möchte auch gerne was anderes machen. Ich bin auf Arbeitssuche. Wie bitte? Ja. Gut. Einverstanden. Bis bald.

Gut. Das sind also Bernd Schulz und Brigitte Jacobs. Nun treffen wir noch Professor Klaßen, Archäologe und Experte für Kunst und die Kultur der Mayas. Er ist zu Hause; er hat ein armseliges und kleines Zimmer. Er trinkt gerade eine Tasse Kaffee und liest einen Brief.
Klaßen: „Sehr geehrter Herr Professor, wir danken Ihnen für Ihren Brief vom zehnten September. Wir bewundern Ihren Ruf als Archäologe. Wir bewundern Ihre Forschungen über die Kunst und Zivilisation der Mayas. Ihre Artikel über Yucatan in Mexiko sind außerordentlich interessant. Leider können wir diese nicht in unserer Zeitschrift veröffentlichen. Wir bedauern sehr, Ihnen eine negative Antwort zu geben und hoffen. . .“ und so weiter, immer dasselbe.
Das sind also die drei anderen Personen, drei Personen aus unserer Geschichte; aber unsere Geschichte beginnt erst. Alle Personen haben Schwierigkeiten, nicht wahr?

Und jetzt wollen wir zurückkehren zu Herbert und Ute Hartmann in Hamburg-Blankenese. Na, wie es ihnen wohl geht? (Pause) *Aha, es geht ihnen besser.*
Ute: Du hast recht, Herbert, das ist eine gute Idee.
Herbert: Na endlich. Hör zu, Ute. Ich kenne Mexiko, Guatemala, Honduras, ganz Mittelamerika. Ich kenne alle Länder dort. Gut. Du kennst meine Mayafiguren.

Ute: Natürlich, aber du sagst *meine* Mayafiguren. Hast du vergessen, daß sie nicht *deine* Mayafiguren sind?

Herbert: Das stimmt, im Augenblick sind es nicht meine Mayafiguren, aber...

Ute: Professor Klaßen kann uns helfen.

Herbert: Ja, er kann uns helfen. Er besitzt die Figuren, und das ist mein Fehler. Aber eins weiß ich, die Figuren sind heute Tausende wert. Und die Preise dafür steigen weiter. Ich weiß, ich war dumm. Ich fahre nach Mexiko, finde die Figuren, fahre zurück nach Hamburg, will Klaßen eine Freude machen. Er will unbedingt die Figuren haben.

Ute: Und was tust du?

Herbert: Ich gebe Klaßen die Figuren.

Ute: Geben, sagst du? Du verkaufst sie ihm billig.

Herbert: Nein, nicht so billig, für einen hohen Preis. Aber heute sind die Figuren Millionen, Milliarden wert.

Ute: Und was hast du? Gar nichts.

Herbert: Oh, hör auf. Gut, Klaßen besitzt die Figuren. Aber ich habe eine Idee, hör zu. Kennst du Weber?

Ute: Natürlich, Leopold Weber, der Antiquitätenhändler und Kunstexperte.

Herbert: Genau. Der gute Leopold. Er hat eine Kunsthandlung in der Stadtmitte, guter Umsatz. Er hat viele reiche Kunden. Er kauft und verkauft Mayafiguren.

Ute: Er kauft sie? Von wem?

Herbert: Von mir.

Ute: Wie?

Herbert: Ich meine, er kauft sie bald von mir.

Ute: Hast du Mayafiguren?

Herbert: Noch nicht. *(geheimnisvoll)* Aber wer sucht, der findet.

Ute: Zum Beispiel Klaßens Mayafiguren.

Herbert: *(überrascht)* Hm? Klaßen? Nein, natürlich nicht. Ich denke an Yucatan, Guatemala, Mittelamerika.

Ute: Denkst du, du kannst all das so einfach in Yucatan finden?

Herbert: Selbstverständlich, im Zentrum der Mayazivilisation, Figuren, Masken, Ornamente. Natürlich brauche ich Professor Klaßen, den großen Archäologen und Experten der Mayakunst. Er fährt hin, besucht die Pyramiden, Tempel und Gräber. Ich kenne dort alles. Auch er kennt dort alles. Er wird dort Ausgrabungen für uns machen und Reichtum nach Hause bringen. Und zwar Reichtum, der uns nichts kostet.

Ute: Reichtum? Und es kostet uns nichts? Immer dasselbe Gerede. Aber. . . wenn ich es genau überlege, warum eigentlich nicht. Es stimmt, Klaßen ist ein nützlicher Mann.

Herbert: Na endlich, nun verstehst du mich. Hör zu. Klaßen fährt nach Mexiko, macht seine Ausgrabungen und dann schickt er die Sachen 'rüber.

Ute: Wie?

Herbert: Nur Geduld, mein Liebling. Die Sachen kommen mit dem Flugzeug. Die Zölle für Kunstgegenstände sind unwahrscheinlich hoch. Aber wir umgehen den Zoll. Wir machen unsere Ausgrabungen an Ort und Stelle. Wir nehmen ein Privatflugzeug und verlassen Mexiko mit unserem Reichtum. Und das ohne Zoll.

Ute: Ja, hm, die Idee ist nicht schlecht.

Herbert: Siehst du, und ich habe einen idealen Piloten. Ich will einen guten Piloten, Brigitte.

Ute: *(verärgert)* Wen? Brigitte Jacobs?

Herbert: Ja, Brigitte.

Ute: Ich verstehe. Deine Ex-Freundin, nicht wahr?

Herbert: *(beachtet ihre Bemerkung nicht)* Sie kennt sich sehr gut aus in Yucatan, Guatemala, Honduras, alle Länder dort. Als Pilotin ist sie großartig, als Touristenpilotin ist sie perfekt.

Ute: Perfekt, ja natürlich.

Herbert: Da haben wir also unsere Mannschaft: Klaßen, der Experte und Brigitte, die Pilotin. Hm, vielleicht brauchen wir eine dritte Person. Immerhin ist Klaßen nicht mehr der Jüngste und Brigitte ist eine Frau.

Ute: Arme kleine Frau!

Herbert: Ich brauche einen Mann, na klar, ich brauche einen Mann in der Mannschaft. Für die Schwerarbeit, verstehst du: graben, schleppen der Sachen, all das. Ich brauche einen jungen, starken Mann, aber wen?

Ute: Du selbst vielleicht.

Herbert: *(lacht)* Wie bitte? *(vorwurfsvoll)* Ich? Mit Brigitte? Aber Ute. . . So kann nur jemand reagieren, der eifersüchtig ist. Ich hab's! Bernd, mein Vetter Bernd Schulz. Er ist arbeitslos, jung, stark; der ideale Mann. Außerdem hat er kein Geld und ist zu allem bereit. So habe ich also meine perfekte Mannschaft: Klaßen, Bernd und Brigitte. Wunderbar. Glaube mir, Ute, in ein, zwei Monaten sind wir reich. In ein, zwei Monaten sind wir Millionäre. *(zu sich selbst)* Herbert, bewahre einen klaren Kopf! Ich bringe die Mannschaft zusammen. Und die Mannschaft wird in zwei oder drei Tagen nach Mexiko starten. *(triumpfierend zu Ute)* Irgendwelche Fragen?

Ute: Ja, allerdings.

Herbert: Laß hören.

Ute: Ja allerdings, ich habe eine wichtige Frage, nämlich: wer bezahlt das Ganze, die drei Flugkarten nach Mexiko, die Hotels, die Reisekosten, das Privatflugzeug nach Yucatan?

Herbert: Ich denke . . .

Ute: Du denkst! Du bist ja auch ohne Geld wie dein Vetter Bernd, und *ich,* ich gebe keinen Pfennig für diese. . .Expedition. Ich gebe keinen Pfennig für deine Ex-Freundin!

Herbert: Liebste Ute, ich will von dir keinen Pfennig. Ich habe eine Idee. Ich denke an alles. Ich habe einen perfekten Plan. Gedulde dich nur, mein Herz. Geduld bedeutet Glück und Reichtum.

Fragen

1. Wo wohnen Ute und Herbert Hartmann?
2. Wann hat Herr Hartmann seine Aktien gekauft?
3. Was sagt Frau Hartman zu ihrem Mann, wenn sie unzufrieden ist?
4. Was verliert nie an Wert?
5. Wie heißt der Professor?
6. Warum trinkt Bernd Schulz keinen Whisky in der Bar?
7. Wohnt der Professor in einer Villa?
8. Gehören die Mayafiguren Herrn Hartmann?
9. Womit will Herr Hartmann die Mayafiguren aus Mexiko bringen?
10. Wofür braucht Herr Hartmann einen dritten Mann in der Mannschaft?
11. Wo hat Leopold Weber sein Geschäft?

2 Der Glücksgott

Herbert Hartmann ist zu Hause in seiner prächtigen Villa in Hamburg-Blankenese. Er trägt einen grauen Anzug, ein blaues Hemd und eine helle Krawatte. Er will weggehen. Er ruft seine Frau.

Herbert: Ute, Ute ich gehe mal eben weg.
Ute: Du gehst weg? Wohin?
Herbert: In die Stadt. Ich muß unbedingt Leopold Weber sprechen.
Ute: Gut. Bis bald und... viel Glück.
Herbert: Danke, mein Liebling. *(zu sich selbst)* Moment mal, ich kann Webers Adresse im Telefonbuch finden. Hier. Antiquare... Antiquare und Kunstgalerien... Da ist es. Und jetzt... Weber, Weber, Weber.. .Hier, na also, *Antiquitäten und Kunsthandlung, Leopold Weber.* Das ist er... Hausnummer 120... Mal sehen.. .Nummer 116.. .118.. .120. Das ist es. Mm, schöner Laden. Und das Schaufenster. Donnerwetter! Mein Freund Leopold ist ein echter Kunstexperte. Da ist ja auch seine Mayasammlung. Nicht schlecht für den Anfang.

Verkäufer: Guten Tag, mein Herr. Sie wünschen?
Herbert: Guten Tag.
Verkäufer: Sie wünschen, mein Herr?
Herbert: Eh, nichts Bestimmtes. Ich schaue mich ein wenig um. Wenn Sie erlauben?
Verkäufer: Aber natürlich.
Herbert: Ich bewundere sehr Ihre Mayagegenstände. Sie sind einzigartig.
Verkäufer: Sie verstehen etwas von Kunst, mein Herr, das merkt man sofort. Es stimmt, Sie sind einzigartig und sehr selten.
Herbert: Und sehr teuer, nicht wahr?
Verkäufer: Ich will nicht sagen: sehr teuer...
Herbert: Zum Beispiel diese Figur...
Verkäufer: Das ist ein besonders schönes Stück, es kommt aus Yucatan. Es stellt den Regengott dar.
Herbert: Chaac.
Verkäufer: Richtig, mein Herr, sehr richtig, Chaac, der Regengott der Mayas. Sie sind ein Experte!
Herbert: Das ist zuviel der Ehre. Aber... wie hoch ist der Preis?

Verkäufer: Ich bin nicht sicher. Einen Moment bitte. Ich sehe mal eben nach. Jawohl, der Preis ist fünftausend Mark.

Herbert: Fünftausend Mark. He, Chaac ist eher ein Gott des Reichtums als ein Regengott.

Verkäufer: *(lacht höflich)*

Herbert: Natürlich, Zeit ist Geld in unserer abendländischen Kultur. Aber in Yucatan ist es heiß und trocken. Regen ist Geld in Yucatan.

Verkäufer: Das stimmt, mein Herr. Warten Sie, ich zeige Ihnen ein einzigartiges Stück. Es gefällt Ihnen sicher; Sie sind ja Experte.

Herbert: Was ist es?

Verkäufer: Diese Maske. Sie kommt aus Guatemala.

Herbert: Mm, auch Mayakunst natürlich.

Verkäufer: Jawohl, mein Herr. Einzigartig, nicht wahr?

Herbert: Und. . .wieviel?

Verkäufer: Sie werden den Preis vielleicht zu hoch finden, aber. . . die Maske kostet sechzehntausend Mark.

Herbert: Wirklich, das ist sehr interessant.

Verkäufer: Das ist ein bedeutender Preis, aber diese Maske ist sehr selten, Sie verstehen.

Herbert: Aber ja, der Preis ist normal. Sagen Sie, ist dies die Kunsthandlung von Herrn Weber? Herrn Leopold Weber, nicht wahr?

Verkäufer: Jawohl mein Herr.

Herbert: Ist Herr Weber zufällig hier? Wir sind alte Freunde. Ich kenne Herrn Weber schon sehr lange.

Verkäufer: Jawohl, Herr Weber ist in seinem Büro.

Herbert: Ausgezeichnet. Hier ist meine Karte.

Verkäufer: Herr Herbert Hartmann. . . Ich danke Ihnen. Entschuldigen Sie mich. Ich werde Ihren Besuch ankündigen. Einen Augenblick, bitte.

Herbert: Gut, gut. Ganz schön teuer, die Sachen. Fünftausend, sechzehntausend Mark, nicht schlecht. Mayakunst ist Geld und der Regengott auch.

Und was werden wir jetzt erleben?

Verkäufer: Folgen Sie mir bitte, Herr Hartmann. Herr Weber ist in seinem Büro. Er erwartet Sie. Hierher, bitte.

Herbert: Danke.

Weber: Mein lieber Freund, wie geht es Ihnen?
Herbert: Danke gut. Und Ihnen? Nach. . .zehn Jahren, ich glaube?
Weber: Zehn. . . eher zwölf, wenn ich mich recht erinnere.
Herbert: Wie geht das Geschäft, mein Freund?
Weber: Danke, bestens! Ich bin sehr zufrieden.
Herbert: Das freut mich. Sie haben wirklich einzigartige Kunstgegenstände.
Weber: Es klingt vielleicht unwahrscheinlich, aber das Geschäft geht fast zu gut. Deshalb habe ich auch Schwierigkeiten.
Herbert: Wirklich?
Weber: Ja, wirklich. Die Preise steigen immer mehr und. . .
Herbert: Aber nicht die Börse!
Weber: Nein, das nicht. Aber in meiner Branche, in meinem Beruf steigen die Preise. Sie sind sicher erstaunt, aber meine Schwierigkeiten sind nicht die Preise. Mein Lager und mein Geschäft werden bald leer sein.
Herbert: Wie bitte? Leer? Ihr Geschäft? Aber Sie haben einzigartige Gegenstände, Ihr Geschäft ist voll von wunderbaren Sachen.
Weber: Ja, im Moment, aber nicht mehr lange. Bald werde ich nichts mehr vorrätig haben. Glauben Sie mir, ich habe laufend Kunden. Sie kaufen alles. Mit meinen Kunstgegenständen haben sie eine sichere Kapitalanlage. Ich nehme an, Sie wissen, daß die Börse heutzutage keine Sicherheit mehr bietet.
Herbert: Oh ja, das stimmt. Und Kunstgegenstände sind ein stabiler Wert. Sie haben eine Goldgrube, mein lieber Freund.
Weber: Im Augenblick ja. Aber das ändert sich. Gerade jetzt wird es sehr schwierig. Wissen Sie, die mexikanischen Zölle sind sehr streng. Bald kann man keine Kunstgegenstände mehr aus Mexiko ausführen.
Herbert: Ja, ich weiß. Ich muß Ihnen dazu etwas sagen. Sie werden erstaunt sein. Aber ich weiß eine Möglichkeit. Ich habe Kontakte in Yucatan, Privatkontakte. Verstehen Sie?
Weber: Wirklich? Sehr interessant. . .
Herbert: Ich kenne dort einen Archäologen. Ein ausgezeichneter Mann, sehr empfehlenswert, ein Experte. Und ich kenne eine Ausgrabungsstätte mit Qualitätsgegenständen, echten Qualitätsgegenständen.
Weber: Mein lieber Herbert. Sie sagen, Sie kennen eine Ausgrabungsstätte. Ich sage Ihnen, Sie kennen einen dankbaren Kunden, mich selbst.

Herbert: Das freut mich sehr.

Weber: Natürlich kann ich mit Ihnen keine Vereinbarung machen oder einen Vertrag unterzeichnen. Wir sehen uns die Gegenstände erst an und danach. . .

Herbert: Einverstanden. Aber heute ist es nicht möglich, auch nicht morgen oder nächste Woche. Sie verstehen?

Weber: Ich verstehe.

Herbert: Aber hören Sie. Ich habe eine Idee. Ich habe einige wertvolle Stücke aus Yucatan zu Hause.

Weber: Bei Ihnen zu Hause?

Herbert: Meine Privatsammlung. Ich bin ein Verehrer der Mayakunst. Die Stücke stammen von meinem Freund, dem Archäologen in Yucatan. Wenn Sie wollen, können Sie sich die Stücke einmal ansehen.

Weber: Ja, gerne. Wann ist es möglich? Wann? Morgen?

Herbert: *(Das ist ja etwas eilig, aber. . .na ja, mal sehen)* Morgen? Mm. . .na gut, warum eigentlich nicht. Morgen nachmittag. Morgen früh geht es leider nicht.

Weber: Nachmittags ist eine gute Zeit für mich. Also bis morgen, mein bester Freund. Bei Ihnen zu Hause, nicht wahr. Um fünf Uhr?

Herbert: Ausgezeichnet! Morgen nachmittag um fünf Uhr bei mir zu Hause. Meine Karte haben Sie ja. . .

Na also. Das wäre erledigt. Mit Weber ist alles klar. Aber mit den Mayafiguren ist nicht alles klar. Doch Herbert hat eine Idee. Er biegt in die Hauptstraße.

Herbert: Aha, da ist eine Bar. Zwei Dinge muß ich noch erledigen. Ich werde mir ein Glas erlauben. Und dann muß ich noch zwei Telefonanrufe erledigen.

Herbert: Kellner, einen Whisky Soda, bitte.

Kellner: Mit Eis?

Herbert: Ja, mit Eis und nur wenig Wasser. . . Chaac! *(zum Kellner)* Kennen Sie Chaac?

Kellner: Oh ja, er kommt jeden Morgen hier vorbei. . .Hier, Ihr Whisky.

Herbert: Danke. Wo ist Ihr Telefon?

Kellner: Ortsgespräch oder Ferngespräch?

Herbert: Es ist für Sankt Pauli.

Kellner: Aha, Sankt Pauli, Reeperbahn, hübsche Mädchen!

Herbert: Leider ist mein hübsches Mädchen ein Professor. Er ist sechzig Jahre alt. Wo ist nun das Telefon?

Kellner: Gleich neben der Tür, mein Herr.

Herbert: Hallo, Professor Klaßen? Hier spricht Herbert Hartmann. Mein lieber Professor, wie geht es Ihnen?.. Gut?.. Das freut mich. Hören Sie, ich möchte Ihnen einen Vorschlag machen, es wird Sie interessieren. Jawohl, ich meine es ernst. Ja wirklich, es ist ein interessanter Vorschlag. Hören Sie, ich komme in zehn Minuten zu Ihnen nach Hause, einverstanden? Es ist sehr wichtig. Ich werde mich sofort auf den Weg machen. Wie bitte? Wann soll ich kommen? Na gut, in zwanzig Minuten. Sie werden sich wundern. Sie werden ja sehen. Also dann bis gleich.

Herr Hartmann geht in Professor Klaßens Haus. Er steigt die Treppe hinauf zur sechsten Etage.

Herbert: Das ist ein schreckliches Haus, wirklich schrecklich. Schmutzig, fast eine Ruine. Armer Klaßen. Ich weiß, ihm geht es nicht gut. Aber in so einem Haus zu leben. . . *(ruft)* Professor Klaßen, sind Sie da? Ich bin's, Herbert Hartmann.

Klaßen: Ja, kommen Sie bitte herein.

Herbert: *(zu sich selbst)* Hier sieht es ja schrecklich aus. *(zu Klaßen)* Mein lieber Herr Professor, wie geht es Ihnen? Gut, Sie wiederzusehen.

Klaßen: *(deprimiert)* Danke, danke, mir geht es gut. Und Ihnen? Sehr freundlich, daß Sie mich besuchen.

Herbert: Sehr freundlich? Ich komme doch sehr gerne zu Ihnen. Ich habe eine Neuigkeit für Sie. Sie werden staunen. Übrigens, was macht Ihre Arbeit?

Klaßen: Oh, wissen Sie, in meinem Beruf. . . Aber ich will nicht klagen.

Herbert: Ich verstehe. . .Also gut. Hier ist mein Vorschlag. Besitzen Sie noch immer die Mayafiguren?

Klaßen: Oh ja, natürlich. Wissen Sie, ich sehe sie mir jeden Tag an. Sie sind wundervoll. Ich möchte sagen, ich lebe mit ihnen.

Herbert: Verstehe, Herr Professor, verstehe.

Klaßen: Nun bin ich aber gespannt auf die Neuigkeit. Was ist es?

Herbert: Ein großartiger Vorschlag: Yucatan, Figuren, Masken, Ornamente, alles. Na, verstehen Sie, was ich meine?

Klaßen: Nein, ich verstehe überhaupt nichts.

Herbert: Sie werden verstehen. Mein lieber Professor, ich habe Arbeit und Geld für Sie. Aber zuerst müssen Sie etwas für mich tun.

Klaßen: Ja? Was?

Herbert: Ihre Figuren.

Klaßen: Meine Figuren? Sie wollen meine Figuren? Oh nein! Das geht nicht. Niemals!

Herbert: Gut, dann *Auf Wiedersehen.*

Klaßen: Aber. . .aber Hartmann, verstehen Sie doch. Meine Figuren hergeben. Sie sind mein Leben, diese Figuren, mein ganzes Leben.

Herbert: Ihr Leben. Wie bitte? Für einen Tag? Sie leihen mir die Figuren einen Tag, nur einen Tag. Verstehen Sie? Und das ist dann das Leben für Sie. . . und für mich. Sie leihen mir die Figuren einen Tag und als Lohn sind Sie reich. Und Sie arbeiten in Yucatan.

Klaßen: In Yucatan? Ist das wahr?

Herbert: Ja, mein Lieber, das ist wahr. Sie arbeiten in Yucatan in den Tempeln und Pyramiden. Und Sie machen Ausgrabungen, Sie finden die Reichtümer der Mayas. Kennen Sie die Tempel nahe bei der Grenze?

Klaßen: Ja, sie sind wundervoll. Und vollkommen verlassen, öde. Natürlich kenne ich diese Tempel, sogar sehr genau.

Herbert: Herrlich, dann gehören sie uns. Aber zuerst müssen Sie ihre Figuren verleihen.

Klaßen: Wem?

Herbert: Mir. Schließlich habe ich sie ja gefunden. Also, einverstanden?

Klaßen: Gut, für einen Tag. Ehrenwort?

Herbert: Ehrenwort!

Klaßen: Na gut, wenn es so ist. . .Aber seien Sie vorsichtig, die Figuren sind sehr zerbrechlich.

Herbert: Aber ja, natürlich, ich weiß. Wir werden alles gut in Kartons verpacken. Zuerst die Masken. . .

Klaßen: Vorsicht! Passen Sie auf! Bitte, sie sind sehr zerbrechlich.

Herbert: *(wieder zu Hause)* Ute! Ute! Bist du hier?

Ute: Was ist los?

Herbert: Du wirst staunen.

Ute: Ich hoffe nur, du hast keine neuen Aktien gekauft.

Herbert: Hier!

Ute: Deine Mayafiguren. . .Du hast sie von Klaßen?

Herbert: Genau, und nun, mein Schatz, werden wir reich sein. Hör zu. Leopold Weber kommt morgen zu uns. Er wird sich diese wundervollen und echten Stücke aus Yucatan ansehen. Ich biete ihm ähnliche Stücke an. Er wird kaufen. Ich bin sicher. Und er wird einen guten Preis bezahlen, meinen Preis. Siehst du, nun ist alles so einfach, so einfach wie Tag und Nacht. Wir bleiben hier und warten auf Weber, den lieben Leopold Weber.

Ute: Wann kommt er?

Herbert: Morgen. Morgen nachmittag um fünf Uhr. Herbert Hartmann am Apparat. . .Leopold. . . .Wie bitte?. . .Sie können morgen nicht kommen?

Ute: Da hast du's! Immer dasselbe.

Herbert: Pst. . .aber. . .Ja, ich verstehe, nur. . .Heute abend?. . .Wie?. . . Jetzt gleich? Hören Sie, das kommt mir sehr ungelegen, aber . . .Na gut, einverstanden. Wir sind zu Hause. . .Auf Wiederhören. Siehst du, mein Liebling, er kommt nicht morgen. Er kommt in fünf Minuten. Und du, mein Herz, ziehst ein hübsches Kleid an. Und sei freundlich zu Herrn Weber. Gleich wird der Glücksgott an unsere Tür klopfen.

Fragen

1. Wo kann man die Adresse von Leopold Weber finden?
2. Wie nennt Herbert seine Frau, wenn er zufrieden ist?
3. Ist Chaac der Sonnengott der Mayas?
4. Sagt man in Mexiko: „Zeit ist Geld?“
5. Was zeigt der Verkäufer Herbert?
6. Warum hat Leopold Weber bald Schwierigkeiten?
7. Was trinkt Herbert in der Bar?
8. Was gibt es in Sankt Pauli zu sehen?
9. Wie gefällt Herbert das Haus von Professor Klaßen?
10. Muß der Professor seine Mayafiguren verkaufen?
11. Wann kommt Leopold Weber, um die Mayafiguren anzusehen?

3 Die Mannschaft

Wir sind noch in Blankenese. Herbert und Ute Hartmann erwarten ihren Besuch, Leopold Weber, den Antiquar. Er muß jeden Moment kommen. Die Mayafiguren stehen bereit, auf dem Tisch.

Herbert: Die Figuren sind wirklich einzigartig.
Ute: Leider sind es nicht deine Figuren.
Herbert: Das stimmt, aber das ist unwichtig. Hör zu, Ute, sei bitte vorsichtig, wenn Herr Weber kommt. Er denkt, die Figuren gehören mir. Es ist meine Privatsammlung, verstanden?
Ute: Aber ja, ich habe verstanden.
Herbert: Und du mußt freundlich zu ihm sein. Da ist er schon.
Ute: Ich werde die Tür öffnen.
Weber: Guten Abend, Frau Hartmann.
Ute: Guten Abend, lieber Herr Weber. Kommen Sie doch herein. Hierher, bitte. Herbert erwartet Sie schon.
Herbert: Mein lieber Freund! Nein, ich nenne Sie Leopold, wenn Sie erlauben.
Weber: Aber natürlich, und ich nenne Sie Herbert.
Er gibt Herbert die Hand. Er sieht die Figuren auf dem Tisch.
Weber: Oh, sie sind wirklich einzigartig!
Herbert: Nicht wahr?
Weber: Sie sind wundervoll. Und all das kommt aus Yucatan?
Herbert: Ja, von meinem Freund, dem Archäologen. Mayakunst ist seine und auch meine Leidenschaft. Und mit meinen Kontakten dort. . .Sie wissen das besser als ich. Es ist schwierig heutzutage, all das aus Yucatan zu bringen.
Weber: Ich weiß. Die Zölle sind sehr streng in Mexiko.
Herbert: Vor allem für solche Stücke.
Weber: Sie sind sehr, sehr schön, mein Kompliment, Herbert.
Herbert: Danke. Ja, ich habe Glück. Aber auch Sie verdienen mein Kompliment. Sie haben auch sehr schöne Sachen in Ihrer Kunsthandlung.
Weber: Ich habe heute nachmittag meine ganze Sammlung verkauft.
Herbert: Das ist doch nicht möglich!
Weber: Ja, der Kunde ist sehr reich. Fünf Minuten nach Ihnen kam er in mein Geschäft und kaufte alles.
Herbert: Unglaublich! Auch die Figur *Chaac* und die Maske?

Weber: Ja, die auch. Er kaufte meine ganze Sammlung.

Herbert: Das ist ein gutes Geschäft für Sie, nicht wahr?

Weber: Oh ja, ohne Zweifel. Aber da sind noch mehr Kunden und ich kann ihnen jetzt nichts mehr verkaufen. Die Börse ist wieder gesunken. Die Leute kaufen lieber Kunstgegenstände. Zum Beispiel riefen mich heute zwei Kunden an. Und ich habe nur noch zwei oder drei wenig wertvolle Figuren zu verkaufen. Das ist alles.

Herbert: Und das ist natürlich nicht genug.

Weber: Können Ihr Freund, der Archäologe, und Ihre Kontakte in Mexiko...

Herbert: Ja, ich glaube, das ist möglich. Natürlich braucht das Zeit und ... Geld. Aber es ist möglich. Wir kennen verlassene Pyramiden. Mein Archäologe ist ein Spürhund, er ist sehr wichtig für mich. Ich kenne diese Gegend gut. Und ich weiß, mit ein wenig Kapital können wir wundervolle Stücke finden; wie diese auf dem Tisch. Sie sind wirklich einzigartig, nicht wahr?

Weber: Ich bin ganz Ihrer Meinung.

Herbert: Wollen Sie die gleichen? Hm, das ist einfach. Mit etwas Geld ...

Weber: Selbstverständlich, ich kaufe sie sofort.

Herbert: Ich bedaure, aber dies ist meine Privatsammlung.

Ute: Oh nein, Herbert, du wirst sie doch nicht verkaufen?

Herbert: Aber nein. Ich sagte es doch gerade zu Leopold. Du kennst mich doch. Aber wir wollen Leopold helfen. Wir werden andere Figuren aus Yucatan ausführen.

Weber: Wie Sie wollen. Mir ist es recht. Sie führen die Sachen aus. Ich kaufe sie.

Herbert: Nur verstehen Sie mich recht, ich brauche einen Vorschuß.

Weber: Einen Vorschuß. Sie wollen Geld von mir im Voraus?

Herbert: Ja, leider. Eine Expedition dort ist teuer. Ich helfe Ihnen und Sie helfen mir. Ich tue das Ihnen zuliebe.

Weber: Lieber Herbert, ich kenne Sie gut, aber... ich bin Geschäftsmann. Ich kann Ihnen einen Scheck geben. Aber wo ist die Garantie?

Herbert: Ich verstehe. Aber ich glaube auch Sie verstehen mich. Wir können die Expedition zusammen finanzieren, Sie und ich. Sie geben mir einen Scheck. Ich gebe Ihnen mein Ehrenwort.

Weber: Einverstanden.

Herbert: Und ich gebe Ihnen diese Figuren.

Weber: Wie bitte? Das ändert natürlich alles.

Ute: Nein, Herbert, du wirst sie doch nicht verkaufen?

Weber: Aber nein, liebe Frau Hartmann, er verkauft sie nicht. Und ich kaufe sie auch nicht. Ich nehme sie als Garantie, das ist alles.

Herbert: Das stimmt. Leopold wird einen Scheck unterzeichnen und die Expedition finanzieren. Er will eine Garantie, also bekommt er sie. Das ist normal. Also sind wir uns einig. Sie verkaufen meine Figuren nicht, nicht wahr. Sie nehmen sie nur als Garantie.

Weber: Einverstanden. Wir werden alles notieren, und eine Vereinbarung unterzeichnen. Und ich schreibe Ihnen einen Scheck.

Herbert: Ute, Liebling, bring uns etwas zu trinken. Mein lieber Leopold, was möchten Sie? Sekt? Whisky?

Weber: Ein Glas Sekt, wenn es Ihnen recht ist.

Herbert: Und wir trinken auf unseren Erfolg, auf unsere Expedition in Yucatan und auf die Kunst der Mayas.

Weber: Zum Wohl. Auf die reizende Gastgeberin, Frau Hartmann.

Ute: Meine Freunde nennen mich Ute, liebster Leopold.

Von Blankenese gehen wir nach Hamburg-Altona, nicht weit vom Stadtzentrum. Das ist ein Stadtviertel, wo Studenten und Arbeiter leben. Ihr seht dort viele kleine Geschäfte, Kinos, Restaurants, Cafés und Bars für junge und alte Leute. Wir wollen mit Herbert Hartmann in eine der kleinen Bars gehen. Er will sich mit Brigitte treffen. . .Ihr kennt sie ja schon, die junge und hübsche Pilotin Brigitte Jacobs, die Ex-Freundin von Herbert Hartmann.

Herbert: Brigitte, mein Schatz, du bist schon da?

Brigitte: Wie du siehst. Ich bin gerade gekommen.

Herbert: Entschuldige bitte die Verspätung.

Brigitte: Schon gut. Es ist auch mein Fehler. Wenn ich mich mit dir treffen will, komme ich immer pünktlich.

Herbert: Und ich komme immer zu spät. Es tut mir leid.

Brigitte: Gibst du mir keinen Kuß?

Herbert: Oh, natürlich *(küßt sie)*. Und wie geht's?

Brigitte: Mir geht's gut. Ich suche Arbeit aber sonst. . .

Herbert: *(lacht)* Du suchst Arbeit?

Brigitte: Ja. Wieso? Glaube mir, das ist nicht zum Lachen.

Herbert: Ich glaube. . .

Brigitte: Ehrlich, das ist nicht zum Lachen. Du, Herbert bist ja nun verheiratet. Aber für mich ist es nicht immer so einfach.

Herbert: Du wirst staunen. Weißt du, warum ich hier bin? Um dich zu sehen aber. . .

Brigitte: Wie reizend!

Herbert: Aber auch weil ich Arbeit für dich habe.

Brigitte: Wirklich? Ist das wahr?

Herbert: Das *ist* wahr. Ich hoffe, du bist immer noch Pilotin?

Brigitte: Ja, wenn ich Geld habe. Das ist ganz schön teuer.

Herbert: Du kannst für mich als Pilotin arbeiten.

Brigitte: Was sagst du da?

Herbert: Ich sage, und ich wiederhole, du kannst für mich als Pilotin arbeiten.

Brigitte: Du bist ein Schatz. Du bist sehr lieb. Ich muß dir noch einen Kuß geben. Ist das alles wahr?

Herbert: Ja, meine Schöne. Du fliegst für mich und ich bezahle dich.

Brigitte: Wunderbar! Wo? Wann? Wann kann ich anfangen? Und wo? Hier in Hamburg?

Herbert: Nein, nicht hier. Nicht in Deutschland.

Brigitte: Nicht hier? Nun bin ich aber neugierig. In Europa?

Herbert: Nein. In Amerika, genauer gesagt in Mexiko.

Brigitte: Du bist wunderbar. Wann? Wann fahre ich los?

Herbert: Wann werdet *ihr* losfahren!

Brigitte: Wir?

Herbert: Ja, ihr. Du und mein Freund Klaßen.

Brigitte: Kenne ich ihn?

Herbert: Nein, du kennst ihn nicht. Professor Klaßen ist Archäologe.

Brigitte: Archäologe?

Herbert: Ja. Und mein Vetter Bernd Schulz wird auch dabeisein. Du kennst ihn auch nicht. Ihr werdet in zwei Tagen abfliegen. Ihr nehmt das Flugzeug nach Mexiko und Merida.

Brigitte: Merida im Yucatan?

Herbert: Ja, dort mietest du ein Privatflugzeug. Und du wirst es fliegen. Du kennst das Land sehr gut, nicht wahr?

Brigitte: Ja, ich kenne es gut, Du weißt das. Und was sollen wir dort tun?

Herbert: Ihr werdet Ausgrabungen machen in den Gräbern und Pyramiden der Mayas unter der Leitung von Professor Klaßen. Klaßen ist der Experte. Bernd Schulz, er. . .hm. . .er leitet den Transport. Und du bist der Pilot.

Brigitte: Einverstanden, vollkommen einverstanden. Und wann bezahlst du uns? Es ist nämlich so. . .

Herbert: Brauchst du Geld?

Brigitte: Hm. . .ja. Bevor wir abfahren, verstehst du, ich. . .

Herbert: Ich verstehe vollkommen. Brigitte. Arbeit ist Arbeit. Du arbeitest für mich, ich bezahle, das ist normal. Siebentausend Mark, in bar, sofort?

Brigitte: *(überrascht)* Siebentausend?

Herbert: Für dich, jawohl. Für die anderen, Klaßen und Schulz, viertausend. Aber für dich siebentausend. Hier. Da sind sie, in diesem Briefumschlag.

Brigitte: Warum siebentausend für mich und nicht für die anderen?

Herbert: Weil du der Pilot bist, und weil ich dich mag und weil. . .du bist der Leiter der Expedition.

Brigitte: Mir ist es recht. Aber die anderen, wollen sie für viertausend Mark arbeiten?

Herbert: Das verstehst du nicht. Das ist doch nur ein Vorschuß. Bei eurer Rückkehr bekommt ihr den Rest. Ihr bringt die Masken, Figuren und Ornamente; wir verkaufen sie. Ihr bekommt dann einen Teil des Geldes. Du wirst ja sehen. Das ist ein gutes Geschäft. Ich organisiere alles. Ihr tut eure Arbeit dort und dann sind wir reich.

Brigitte: Ich glaube, das gefällt mir. Und dein Vetter Bernd, wie ist er?

Herbert: Ein netter Kerl. Nicht sehr intelligent, aber gutaussehend und fleißig. Nun muß ich aber gehen. Ich habe noch eine wichtige Verabredung mit Herrn Professor Klaßen.

Brigitte: Du scheinst nicht besonders begeistert zu sein.

Herbert: Das ist ein komischer Mann. Und ich fühle, ich werde Schwierigkeiten mit ihm haben. Gut. Ich kaufe die Flugkarten. Ich organisiere alles und du wartest auf meinen Telefonanruf. Kuß? Bis morgen dann.

Brigitte: Danke, Herbert, du bist ein Schatz. Bis morgen.

Herbert verläßt die Bar. Er nimmt ein Taxi. Er geht zu Professor Klaßens Haus. Es ist nicht weit. In einigen Minuten ist er an der Wohnungstür in der sechsten Etage.

Klaßen: Ah, Sie sind es. . .

Herbert: Jawohl, ich bin es. Und für Sie bin ich die Verheißung. Mein lieber Freund, Sie werden mir danken. Ich bin die Chance in Ihrem Leben, Ihre Hoffnung, Ihr Glück. Sie reisen übermorgen nach Yucatan. Und hier. . .ein Briefumschlag mit Geld.

Klaßen: Ja, ich sehe, vielen Dank. . .meine Figuren? Wo haben Sie meine Figuren? Wo sind sie?

Herbert: Ihre Figuren? Sind Sie verrückt, mein Lieber? Sie denken an Ihre Figuren? Ist das möglich?

Klaßen: Wo sind sie? Ich will sie haben.

Herbert: Ich habe sie nicht. Aber sie sind in guten Händen. Hören Sie zu, mein Freund. Sie fahren in zwei Tagen nach Mexiko. Ich bezahle Sie. Sie haben Arbeit, eine gute Arbeit. Und da fragen Sie noch: „Wo sind meine Figuren?"

Klaßen: Ja. Wo sind sie? Ich will sie haben. Ich will sie heute haben, jetzt gleich.

Herbert: So ist das also. Na gut. Ich werde sie holen und Sie bleiben in Hamburg. Sie fahren nicht nach Mexiko. Sie bleiben in Ihrem armseligen Zimmer ohne Geld, ohne Arbeit. Armer Dummkopf. Aber Sie wollen es ja so. Das ist Ihre Sache.

Klaßen: Aber nein, verstehen Sie doch.

Herbert: Es tut mir leid. Auf Wiedersehen, Professor. Oh, meinen Briefumschlag bitte. . .

Klaßen: Hören Sie, Hartmann. Verstehen Sie doch. Ich möchte die Arbeit haben.

Herbert: Und das Geld, möchten Sie auch das Geld haben?

Klaßen: Natürlich. Aber ich will die Figuren.

Herbert: Wenn Sie aus Mexiko zurückkommen. Ich habe sie jetzt nicht. Sie sind in guten Händen. Wollen Sie nun oder nicht?

Klaßen: . . .Ja.

Herbert: Gut. Hier haben Sie viertausend Mark. Das ist ein Vorschuß. Den Rest bekommen Sie nach Ihrer Rückkehr aus Mexiko. Sie treffen morgen die anderen: Brigitte Jacobs und Bernd Schulz. Ich kaufe Ihre Flugkarten. Sie fliegen übermorgen. Einverstanden?

Klaßen: Ja, ich bin einverstanden, ich sagte es ja schon.

Herbert: Aber Professor, ich meine es doch gut mit Ihnen. Nun muß ich aber gehen. Auf Wiedersehen.

Klaßen: Viertausend Mark. . .Und ich fahre nach Mexiko. Aber wo sind meine Figuren? Hartmann ist ein Lügner. Ich mag ihn nicht, ich kann ihn nicht ausstehen.

Fragen

1. Wie soll Frau Hartmann zu Herrn Weber sein?
2. Hat Leopold Weber noch viele Mayafiguren in seinem Geschäft?
3. Wer finanziert die Expedition?
4. Warum gibt Herbert Hartmann Herrn Weber die Mayafiguren?
5. Wo leben die Arbeiter und Studenten in Hamburg?
6. Ist Herbert Hartmann immer pünktlich, wenn er sich mit Brigitte verabredet?
7. Was soll die Mannschaft in Yucatan tun?
8. Wieviel Geld bekommt Professor Klaßen von Herbert Hartmann als Vorschuß?

4 Jet und Pechvogel

Zwei Tage später. Wir sind heute morgen auf dem Hamburger Flughafen Fuhlsbüttel. Hunderte, tausende Passagiere warten auf ihren Abflug.

Lautsprecher: Achtung, Achtung! Passagiere für den Lufthansaflug 067 nach Houston und Mexiko bitte nach Ausgang vier kommen.

Herbert: Na endlich, wo ist Klaßen? Warum ist er nicht hier?

Brigitte: Geduld, Herbert. Wir haben Zeit, das war erst der erste Aufruf.

Herbert: Der Kerl regt mich auf. Er hat sein Geld. Er hat seine Flugkarte nach Mexiko. Und er ist noch nicht hier.

Bernd: Er wird schon kommen, nur Geduld.

Herbert: Ich hoffe sehr. Brigitte, Bernd, hört zu. In sechs, sieben Tagen ruft ihr mich spätestens an. Ihr ruft mich zu Hause an und sagt nur: wir haben zwanzig, dreißig, vierzig Figuren, Masken und so weiter, und sie haben den oder den Wert. Fragt Klaßen, was die Stücke wert sind.

Brigitte: Puh, er kommt wirklich sehr spät.

Herbert: Oh, dieser Klaßen regt mich auf. Er ist ein guter Archäologe, ihr werdet ja sehen. Aber in praktischen Dingen ist er unbeholfen. Hör zu, Brigitte. Du leitest die Expedition, das weißt du. Klaßen ist nur der Experte und Bernd soll dir helfen. Du bist der Chef.

Brigitte: Bernd, keine Einwände, hoffe ich?

Bernd: Nein, Chef, keine Einwände, Chef. Danke, Chef. Sie sind sehr hübsch, Chef.

Herbert: Da kommt er endlich.

Brigitte: Er sieht uns nicht.

Herbert: Klaßen, hier sind wir!

Klaßen: *(außer Atem)* Guten Tag. Ich habe mich verspätet. Es tut mir leid. Der Bus...

Herbert: *(außer sich)* Der Bus... Nicht zu glauben! Nun aber schnell. Gebt eure Koffer auf. Ich hoffe, Sie haben wenigstens Ihre Flugkarte und Ihren Reisepaß?

Klaßen: Wie bitte? Ja, warten Sie.

Herbert: Kommen Sie nun, ja oder nein? Die Gepäckabfertigung ist dort.

Klaßen: Gut, ich folge Ihnen.

Bernd: Na, Chef, wie finden Sie unseren Experten und Mitreisenden?

Brigitte: Mein lieber Bernd, jetzt keine Kritik bitte. Für mich ist er Archäologe und das genügt.

Lautsprecher: Letzter Aufruf für die Passagiere des Lufthansaflugs 067 nach Houston und Mexiko.

Herbert: *(zu Brigitte und Bernd)* Hierher, ihr Beiden. Der Professor ist fertig. Nun aber schnell.

Brigitte: Tschüß, Herbert.

Herbert: Ja, auf Wiedersehen. Ich warte auf euch. Brigitte, rufe mich bitte in sechs oder sieben Tagen an. Für Sie, mein lieber Professor, ist dies die Chance Ihres Lebens. Und du Bernd, du mußt dem Professor und Brigitte helfen.

Bernd: Aber ja doch.

Brigitte: Tschüß, Herbert. Kommt, ihr Beiden, es ist Zeit.

Herbert: Gute Reise. Und bis bald am Telefon.

Zehn Tage sind vergangen. Wir sind wieder in Blankenese bei Herbert und Ute Hartmann. Zehn Tage sind vergangen seit der Abfahrt der Mannschaft nach Mexiko.

Ute: Herbert.

Herbert: Ja?

Ute: Was machst du?

Herbert: Gar nichts, wie du siehst. Ich erwarte einen Telefonanruf.

Ute: Was? Aus Mexiko?

Herbert: Ja aus Mexiko, mein Herz, aus Mexiko!

Ute: Ich nehme an, das ist für dich.

Herbert: Hallo, ja. . .Wie bitte? Monika? Ah, Sie sind es. Ja, Ute ist hier. Einen Augenblick bitte. Monika ist am Apparat, für dich. Höre, Ute ich kenne dich und ich kenne Monika. Redet nicht wieder eine Stunde miteinander. Ich erwarte einen Anruf aus Mexiko, und darum, bitte mach es kurz.

Ute: Ja, Herbert, aber ja. Warum bist du so nervös? Hallo, Monika? Guten Tag. Wie geht's? Hör zu, es tut mir leid, aber wir warten auf einen wichtigen Anruf. Wie? Von wem? Nein, Herbert erwartet einen wichtigen Anruf, und. . . ich rufe zurück, ja? Wie?

Herbert: Oh, Frauen am Telefon! Ute, leg bitte den Hörer auf!

Ute: Herbert, sei still, ich telefoniere erst seit einer Minute.

Herbert: Das wird dann eine halbe Stunde.

Ute: *(zu Monika)* Nein, nein. Ich spreche mit Herbert. Du kennst ihn ja. Ungeduldig und nervös. Er erwartet seinen Anruf seit vier Tagen. Ich rufe dich später an. Wahrscheinlich heute abend.

Herbert: Na endlich.

Ute: Warum bist du so unfreundlich?

Herbert: Ich kenne euch, wenn ihr am Telefon seid, dauert das Stunden. *(Frauenstimme imitierend)* Unser Hund ist krank, mein Frisör ist ausgezeichnet und nett, Bärbel ist schwanger, ich habe wieder zwei Kilo abgenommen, ja, in vier Tagen, ich muß dir noch das Rezept geben, und so weiter, und so weiter, ohne aufzuhören.

Ute: Es ist wenigstens unterhaltsam, du bist jedenfalls nicht unterhaltsam.

Herbert: Ich habe Sorgen, das ist alles.

Ute: Ich weiß, aber trotzdem. . .

Herbert: Was ist dort bloß los? Zehn Tage sind sie nun fort.

Ute: Das stimmt, das ist seltsam, aber sie sind ja auch in Yucatan, im Dschungel. Vielleicht ist dort kein Telefon.

Herbert: Natürlich nicht. Aber zehn Tage. Was machen sie so lange? Was ist passiert? Ich warte auf Nachricht. Weber ruft dauernd an. Was soll ich ihm denn sagen?

Währenddessen wartet auf einer kleinen Piste in Mexiko ein Touristenflugzeug. Da ist auch ein Jeep neben dem Flugzeug. Das ist Hartmanns Mannschaft. Brigitte, Bernd und Klaßen arbeiten. Es ist heiß. Sie haben gerade noch einige Figuren in einem Mayatempel gefunden. Aber es ist spät. Es wird abend.

Brigitte: Professor!

Klaßen: Ja, was gibt's?

Brigitte: Wir fliegen los.

Klaßen: Wie? Jetzt schon? Da sind noch so viele schöne Sachen. Hier, seht her.

Brigitte: Ich sage, wir fliegen los. Bernd, du bring die Kisten ins Flugzeug.

Bernd: Immer langsam.

Brigitte: Es ist viertel nach vier. Alle Kisten sind voll. Bis wir geladen haben ist es fünf Uhr. Mit diesem Flugzeug können wir nicht nachts fliegen. Und außerdem, Hartmann wartet auf uns.

Bernd: Ja, das stimmt. Wir haben schon drei Tage Verspätung. Hartmann erwartet unseren Anruf.

Brigitte: Genau. Heute abend rufe ich an. Nun aber schnell. Du und der Professor, ihr verladet die Kisten. Ich werde mich um das Flugzeug kümmern.

Bernd: Gut. Ich werde ihn rufen. He, Professor. Wir fliegen los.

Klaßen: Losfliegen? Warum? Das ist wahnsinnig. Ich habe gerade noch andere Sachen gefunden. Hier. In diesem Loch sind einmalige Vasen und Figuren.

Bernd: Ich weiß. Aber wir haben genug. Brigitte will losfliegen. Sie ist der Pilot. Sie muß das entscheiden.

Klaßen: Gut, sie muß das entscheiden. Aber das ist wahnsinnig, hören Sie.

Bernd und Klaßen packen die Figuren in Kisten. Dann verladen sie die Kisten. Klaßen ist unzufrieden.

Klaßen: Da sind noch so viele Dinge, hören Sie.

Brigitte: Möglich, ich glaube Ihnen, aber wir fliegen los. Wenn wir bleiben, findet uns ein Militärhubschrauber oder die Polizei. Dann ist alles aus.

Klaßen: Aber hier liegen noch weitere Schätze.

Bernd: Und in den Kisten. Da ist genug. Hartmann wird sich freuen und vor allem Weber.

Klaßen: Wie bitte?

Brigitte: He, Bernd, mach bitte weiter. *(leise)* Bist du verrückt, von Weber zu sprechen. Nun aber schnell, ich helfe mit.

Sie verladen die Kisten.

Währenddessen läutet bei Hartmanns in Blankenese das Telefon.

Herbert: Hallo?. . Ah, Sie sind es, mein lieber Leopold. Welche Nachricht? Die Figuren? Jawohl, ich verstehe. Ich kann da nur sagen, alles verläuft gut, sogar bestens. Wir haben etwas Verspätung, aber. . .Wie bitte?. .Ihre Kunden warten? Und Sie wollen sofort die Lieferung?. . .Morgen?. . .Ich will es versuchen. Mein lieber Freund, das geht in Ordnung. Meine Leute schicken mir die Sachen jeden Moment. Ich werde Sie anrufen. Alles kommt per Flugzeug. . .ja, per Flugzeug. Das ist riskant, aber Sie kennen mich ja. Geschäft ist Geschäft, Leopold. . .Gut, einverstanden. Ich rufe Sie an.

Ute: Mexiko?
Herbert: Wieder Weber. Immer Weber.
Ute: Was will er?
Herbert: Die Figuren natürlich, bis morgen.
Ute: Und was tust du nun?
Herbert: Ich habe sie ihm versprochen, verstehst du. Für morgen oder übermorgen. Das dauert aber auch lange. Warum dauert das so lange? Unglaublich...

Wir sind wieder in Yucatan. Die Kisten sind verladen. Das Flugzeug ist startbereit.

Brigitte: Haben wir alles?
Bernd: Alle Kisten sind verladen.
Brigitte: Gut. Also, Professor Sie haben verstanden. Bernd und ich fliegen zu der Insel Kalahun. Wir entladen die Kisten und verladen sie auf ein Schiff in Richtung Deutschland. Von Kalahun fliegen wir in zwei Tagen zurück nach Merida. Sie fahren sofort mit dem Jeep nach Merida.
Klaßen: Ja, ja ich habe verstanden.
Brigitte: Sie wohnen im Hotel Tropicana.
Bernd: In zwei Tagen sind wir bei Ihnen im Hotel.
Klaßen: Alles klar. Treffpunkt im Tropicana in zwei Tagen.
Brigitte: Und wir planen dann eine andere Expedition.

Klaßen steigt in den Jeep. Bernd und Brigitte steigen in das Flugzeug. Brigitte ist am Steuer. Das Flugzeug beginnt zu rollen, beschleunigt und hebt ab. Etwas später...

Brigitte: Bernd, hörst du nichts?
Bernd: Was?
Brigitte: Der Motor. . .Da stimmt etwas nicht. Er dreht sich nicht normal.
Bernd: Bist du sicher?
Brigitte: Hör doch genau hin.
Bernd: Ja. . .jetzt höre ich es. Ist das schlimm?
Brigitte: Ich weiß nicht. Ich sehe mal die Instrumente nach.
Bernd: Ist es der Öldruck?
Brigitte: Ja, du hast recht, er sinkt. Nun ist alles aus. Der Motor läuft sich heiß. Und hier der Temperaturanzeiger. Er ist auf dem höchsten Punkt. Da haben wir's, der Motor steht still.
Bernd: Was wirst du tun?

Brigitte: Landen ist die einzige Möglichkeit. Aber wo? Das ist die Frage.

Bernd: Das ist mein erster und vielleicht letzter Flug mit dir, Brigitte.

Brigitte: Nur keine Panik. Ich habe genug zu tun mit diesem. . .diesem Pechvogel.

Das Flugzeug verliert schnell an Höhe, und das *über dem Dschungel von Yucatan.*

Fragen

1. Wohin bringt man im Flughafen sein Gepäck?
2. Wann soll Brigitte von Mexiko anrufen?
3. Wie lange braucht die Mannschaft um die Kisten zu verpacken?
4. Sagt Herbert Hartmann Herrn Weber am Telefon die Wahrheit?
5. Wo werden die Kisten auf ein Schiff verladen?
6. Warum ist das Hotel Tropicana so wichtig in unserer Geschichte?
7. Warum verliert das Flugzeug an Höhe?

5 Die Bruchlandung

Brigitte: Wir müssen eine Straße oder ein offenes Feld zum Landen finden.
Bernd: Ich sehe nur Bäume.
Brigitte: Wir verlieren an Höhe und zwar sehr schnell.
Bernd: Wieviel Zeit haben wir?
Brigitte: Zwei, drei Minuten vielleicht. Es ist windig, das wird uns helfen, aber...
Bernd: Siehst du, dort links...
Brigitte: Wo links? Vorne?
Bernd: Nein, jetzt ganz links. Ich glaube, dort ist ein Feld, jedenfalls sind dort keine Bäume.
Brigitte: Ich kann nichts sehen, aber ich will drehen... Ja, du hast recht. Gut, ich will es versuchen. Wir haben Gegenwind. Ich werde abermals drehen und dann landen. Ich will es versuchen.

Das Flugzeug dreht und geht tiefer.

Währenddessen warten Herbert und Ute Hartmann in Blankenese immer noch auf Nachricht.

Herbert: Unglaublich, zehn Tage sind vergangen und sie haben immer noch nicht angerufen.
Ute: Vielleicht haben sie es versucht. Aber du weißt ja, das Telefon in diesen unterentwickelten Ländern...
Herbert: Aber nein, hör doch auf. Es ist etwas anderes.
Ute: Vielleicht haben sie die Tempel und Pyramiden nicht gefunden.
Herbert: Aber ja, sie haben sie gefunden, das ist sicher. Das ist kein Problem. Aber vielleicht haben sie Militär oder die Polizei getroffen.
Ute: Oder sie haben so viel gefunden und nun wollen sie alles für sich behalten.
Herbert: Wie bitte?
Ute: Ich sage, sie wollen alles behalten. Deine Freundin Brigitte und dein fleißiger Vetter Bernd sind vielleicht gegen dich.

Herbert: Nein, niemals. Ich kenne sie. Unmöglich... Hallo, Hartmann am Apparat...

Weber: Guten Tag. Haben Sie Nachricht?

Ute: Wer ist es?

Herbert: Weber....Mein lieber Freund, wie geht es Ihnen?

Weber: Hören Sie, Herbert. Ich habe gefragt: haben Sie Nachricht? Ich wünsche eine Antwort.

Herbert: Ja, ich habe Nachricht, natürlich. Alles ist in Ordnung, aber die Figuren habe ich noch nicht. Ich erwarte sie. Ich erwarte sie jeden Moment.

Weber: Versprechungen, mehr Versprechungen, immer Versprechungen. Das ist genug. Ich bin Geschäftsmann, ehrlicher Geschäftsmann. Ich will die Sachen sofort. Meine Kunden haben heute wieder angerufen. Ich habe Ihnen die Situation erklärt. Das ist nicht einfach für mich. Ich verliere alle meine Kunden, verstehen Sie?

Herbert: Ja, ich verstehe Sie sehr gut, aber ich habe Ihnen bereits gesagt, daß...

Weber: Und ich werde Ihnen was anderes sagen. Ich will meine Figuren in spätestens drei Tagen.

Herbert: In drei Tagen?

Weber: Spätestens. Letzter Termin!

Herbert: Oh, das ist gut.

Weber: Ich hoffe es für Sie. In drei Tagen, letzter Termin. Sie bringen mir die Sachen oder Sie geben mir mein Geld zurück. Ich denke, das ist klar.

Herbert: Aber ja, ich bringe Ihnen die Sachen. Danke für Ihren Anruf, bis bald.

Weber: Nicht wahr, Sie haben mich verstanden? Ich will mein Geld oder die Figuren. Ist das klar? Auf Wiederhören.

Herbert: Der gute Mann ist unmöglich. Er hat schon dreimal angerufen.

Ute: Warum nicht? Ich kann das verstehen.

Herbert: Ja, aber nun will er sein Geld haben.

Ute: Und du hast schon viel Geld ausgegeben?

Herbert: Natürlich. Ich habe Brigitte, Bernd und Klaßen einen Vorschuß gegeben. Ich habe die drei Flugkarten gekauft. Dann habe ich dort das Flugzeug und den Jeep gemietet. Das ist teuer. Ich habe viel Geld ausgegeben. Weißt du, das gehört zum Geschäft.

Ute: Wenn es ein gutes Geschäft ist, na gut, aber. . .

Herbert: Das ist ein gutes Geschäft. Ich bin sicher. Das ist ein Geschäft mit Gewinn.

Ute: Warum haben sie dann noch nicht angerufen?

Herbert: *(außer sich)* Ich weiß es nicht. Und bitte hör auf, Ute. Ich habe dir doch gesagt: das ist meine Angelegenheit, verstehst du?

Ute: Gut, mein lieber Herbert. Sieh zu, wie du damit fertig wirst, ich gehe aus.

Herbert: Du gehst aus? Wohin?

Ute: Das ist *meine* Angelegenheit. Verstanden, mein Liebling? Bis gleich.

Sie verläßt den Raum. Herbert, verärgert, wartet neben dem Telefon.

Wir gehen wieder an Bord des Flugzeugs zu Brigitte und Bernd. Das Flugzeug ist nur wenige Meter vom Boden entfernt. Es wird auf einem kleinen Feld zwischen den Bäumen landen.

Brigitte: Und nun. . .festhalten.

Bernd: Vorsicht, Brigitte! Da, vor uns, die großen Steine in der Mitte des Feldes!

Brigitte: Na und? Willst du sie etwa aufsammeln? Mir ist es recht.

Bernd: Ha, ha, ha.

Brigitte: So ist es schon besser. Nur keine Panik, bitte. Ein Flugzeug ohne Motor, das ist kein Kinderspielzeug.

Bernd: Bravo, wir sind an den Steinen vorbei.

Brigitte: Das haben wir. Aber nun wird es schwieriger. Noch einige Sekunden. . . Paß auf! Sieh dich vor!

Bernd: Vorsehen? Wieso?

Brigitte: Wir werden sehen. Nur zu, mein Pechvogel, noch ein bißchen noch ein paar Meter. . .Hier!

Das Flugzeug berührt den Boden, rollt, springt, stößt an Steine, dreht nach links und steckt die Nase in den Boden. Harter Aufprall. Staubwirbel. An Bord bewegt sich nichts. . . Am Himmel drehen drei Geier ihre Kreise, langsam, leise, instinktfolgend. Der Staub legt sich. Nichts bewegt sich. Sekunden? Minuten? Die Zeit steht still, es gibt keine Zeit. In diesem Teil der Welt gibt es keine Zeit. Aber drei Geier ziehen ihre Kreise über einem Flugzeugwrack, ein Gefängnis für eine Frau und einen Mann. Fünf Minuten später bewegt sich etwas. Bernd, als erster, bewegt sich.

Bernd: Brigitte. . .Brigitte. . .Bist du verletzt? Brigitte, antworte doch!

Brigitte: Ja, ja. Was habe ich getan? Weißt du, ich habe mein Möglichstes getan.

Bernd: Aber ja, Brigitte und, es ist dir gelungen. Wir leben. Bist du verletzt?

Brigitte: Nein. Aber das Flugzeug. . .es ist ein Wrack.

Bernd: Das ist nicht schlimm. Das ist nicht dein Fehler. Du bist doch gelandet. Und wir leben. Na also!

Brigitte: Ja, du hast recht. Laß uns schnell aussteigen, ich rieche Benzin. . . Au, mein Knie!

Bernd: Schmerzt es sehr?

Brigitte: Au, es ist mein rechtes Knie. Aber es geht. Es schmerzt nicht so sehr. Ich bin auch nicht verletzt. Und du?

Bernd: Es geht. Wir haben beide das Bewußtsein verloren, du und ich.

Brigitte: Was machen wir nun? Welch ein Pech! Das Flugzeug ist ein Wrack.

Bernd: Können wir den Motor reparieren?

Brigitte: Ich glaube nicht. Und das Fahrgestell ist zerstört. Unmöglich, so zu starten selbst mit einem guten Motor. Ich sage dir, unmöglich.

Bernd: Und die Kisten, ich werde mal nachsehen.

Bernd steigt in das Flugzeug. Er untersucht die Kisten. Sie sind unbeschädigt. Er kommt zurück.

Brigitte: Na?

Bernd: Alles in Ordnung. Sie sind unbeschädigt.

Brigitte: Wenigstens das. Aber was machen wir nun? Herbert wartet auf unseren Telefonanruf. Und wir sind verloren in der Mitte des Dschungels mit den wertvollen Figuren.

Bernd: Sind wir weit entfernt von der Straße?

Brigitte: Ich weiß nicht.

Bernd: Wir sind etwa dreißig Minuten geflogen.

Brigitte: Ja, nach Süden. Wir sind der Straße gefolgt und haben dann nach Osten gedreht. . .Warum?

Bernd: Ich denke an Klaßen, an den Jeep.

Brigitte: Ah, der Professor, ich kann den Mann nicht leiden.

Bernd: Ich weiß. Aber vielleicht hat er uns gesehen oder gehört. Er wird vielleicht kommen.

Brigitte: Das glaube ich nicht. Und außerdem. Es ist spät. Es wird dunkel. Hier auf Klaßen zu warten, ohne sicher zu sein? Nein, das ist hoffnungslos.

Bernd: Du hast recht. Haben wir eine Landkarte?

Brigitte: Ja, ich habe eine Landkarte mitgebracht. Da ist auch ein Kompaß an Bord.

Bernd steigt wieder in das Flugzeug und findet die Landkarte. Aber der Kompaß ist beschädigt.

Brigitte: Eine Landkarte ohne Kompaß. . .? Aber wir haben ja noch die Sonne. Sie ist. . .dort, dort links. Also ist dort Westen. Es ist halb sechs, dort ist also Westen. Und hier ist Westen auf der Landkarte.

Bernd: Und wo sind wir?

Brigitte: Also, das weiß ich nicht. Wie soll ich das wissen? Hier gibt es keine Hügel, keine Berge, keine Flüsse, nichts.

Bernd: Nur drei Geier am Himmel. . .Aber hier ist eine Straße auf der Landkarte, aber hier kann ich sie nicht sehen.

Bernd: Wir werden sie suchen. Und wir werden sie finden. Das ist die einzige Möglichkeit.

Brigitte: Ja, du hast recht. Warte, sie verläuft von Norden nach Süden.

Bernd: Und dort ist Westen. Wir gehen also nach Osten.

Brigitte: Richtig, mit der Sonne im Rücken. Und dann?

Bernd: Diese Straße muß irgendwo hinführen. Warte. . .Siehst du, dort auf der Landkarte ist ein Dorf. . .Santiago de las Piedras. Dort gibt es sicher ein Telefon.

Brigitte: Ja, ich glaube schon. Jedenfalls ist das die einzige Möglichkeit. Mit ein wenig Glück finden wir die Straße.

Bernd: Also, bist du bereit? Und dein Knie?

Brigitte: Ja, ich bin bereit, es geht.

Sie drehen der Sonne den Rücken zu und gehen nach Osten, in den Dschungel.

Auf der Straße nach Merida fährt ein Jeep. Professor Klaßen ist am Steuer. Er bremst, hält an. Er sieht auf die Landkarte.

Klaßen: Gut, hier ist die Straße. . .Und ich bin. . .hier, Kilometerstein zweiundzwanzig. Das Flugzeug ist dort gestartet. Es ist der Straße gefolgt und hat nach Osten gedreht. . .Hier. Und was haben die Beiden dann gemacht? Ich weiß es nicht. . . Ich habe das Flugzeug gesehen. Ich habe den Motor gehört, und dann. . .nichts mehr. Sie sind gelandet, das ist sicher. Aber wo? Dort vielleicht. Ich werde mal nachsehen. Jawohl, ich werde mal nachsehen. Ich habe ja Zeit. Und mit dem Jeep ist das einfach.

Klaßen steigt wieder in den Jeep. Er dreht und folgt der Straße. Seine grauen Augen haben einen eigenartigen Schein.

Fragen

1. Wo kann ein Flugzeug landen?
2. Was will Leopold Weber haben, wenn er die Figuren nicht bekommt?
3. Was hat Herbert Hartmann von Leopold Webers Geld bezahlt?
4. Landen Brigitte und Bernd auf einem Flugplatz?
5. Was haben Brigitte und Bernd nach der Landung verloren?
6. Wie kann man sich im Dschungel orientieren?
7. Wo ist Professor Klaßen nun?
8. Weiß Professor Klaßen wo das Flugzeug ist?

6 Halt!

Klaßen ist in seinem Jeep. Er fährt schnell. Er fährt sehr schnell. Von Zeit zu Zeit sieht er auf die Landkarte, die neben ihm liegt. Er kommt an eine Kurve. Er fährt langsamer. Er hält an hinter der Kurve. Er sieht noch einmal auf die Landkarte.

Klaßen: Dort muß es sein. Das Flugzeug ist dorthin geflogen. Ich habe es gesehen. Es ist dort gelandet, dort links. Also verlasse ich die Straße und werde hierher fahren. Das ist möglich. Da ist auch ein Weg. Das Flugzeug ist sicher nicht weit von hier gelandet. Ich werde diesem Weg folgen. Und mit ein wenig Glück...

Er verläßt die Straße. Er folgt dem Weg. Es gibt nur wenige Bäume. Er kann sehr weit sehen. Von Zeit zu Zeit hält er an und sieht sich um. Er sucht das Flugzeug.

Klaßen: Nichts. Ich sehe immer noch nichts. Trotzdem, ich fahre weiter.

Etwas weiter entfernt sind Brigitte und Bernd. Sie gehen langsam. Sie sind müde. Sie sind schon mehrere Kilometer gelaufen durch den dichten Dschungel. Brigittes Knie schmerzt.

Bernd: Kannst du noch weitergehen, Brigitte?

Brigitte: Ja, natürlich, es geht.

Bernd: Du wirst sehen. Bald finden wir ein Dorf. Das Dorf. . .ich habe den Namen vergessen.

Brigitte: Santiago de las Piedras. . . Ich hoffe. Und dann rufen wir Herbert an. Ich kenne ihn, er ist sicher schon ungeduldig.

Bernd: Natürlich. Er wartet seit drei oder vier Tagen auf unseren Telefonanruf. Du wirst sehen. Wir gehen. . .

Brigitte: Au, mein Knie!

Bernd: Sieh doch, Brigitte, sieh doch!

Brigitte: Was?

Bernd: Dort vor uns, ein, zwei Kilometer weiter.

Brigitte: Eine Kirche. . .

Bernd: Häuser. . .

Brigitte: Ein Dorf. Das ist sicher Santiago.

Bernd: Ich weiß nicht. Aber ich weiß, es ist ein Dorf. Und sicher gibt es dort ein Telefon. Was macht dein Knie?

Brigitte: Es geht. Ja und nein. Aber es ist ja nicht mehr weit bis zu dem Dorf.

Bernd: Also dann. . .gehen wir?

Brigitte: Ja, nur zu, ich folge dir.

Sie gehen auf das Dorf zu.

Bernd: Warte, ich helfe dir. Gib mir deine Hand. Ich ziehe dich.

Brigitte: Du bist sehr lieb, Bernd, aber weißt du. . .

Plötzlich kommen drei Militärpolizisten, ein Wachtmeister und zwei andere Männer. Sie halten die Beiden an.

Wachtmeister: Halt!

Brigitte: Was ist das? Soldaten?

Bernd: Jedenfalls keine Nonnen. Nun ist alles aus. Höre, du mußt lächeln und freundlich sein.

Brigitte: Der Eine, der Dicke mit dem Schnurrbart, ist das ein Leutnant?

Bernd: Er ist Wachtmeister, glaube ich.

Brigitte: Das ist ja auch unwichtig. . .

Wachtmeister: Halt! Was machen Sie hier?

Brigitte: Guten Tag, meine Herren. Guten Tag, Herr Wachtmeister.

Wachtmeister: Wer sind Sie? Ihre Papiere bitte.

Bernd: Unsere Papiere?

Brigitte: Was haben wir denn getan?

Wachtmeister: Haben Sie Ihre Papiere, Ihren Reisepaß, Ihr Visum?

Bernd: Nein, wir hatten einen. . .

Brigitte: Aber was haben wir getan?

Wachtmeister: Was haben Sie getan? Ich werde es Ihnen sagen. Sie sind ohne Papiere über die Grenze gekommen. Folgen Sie uns bitte.

Bernd: Und wohin gehen wir?

Wachtmeister: Ins Dorfgefängnis. Los, kommen Sie!

Brigitte: Aber hören Sie, Herr Leutnant. . .

Wachtmeister: Ich bin kein Leutnant, ich bin Wachtmeister.

Brigitte: Entschuldigen Sie, Herr Wachtmeister. Also was? Wir sind über die Grenze gekommen? Das ist ein Irrtum.

Bernd: Wir sind vom Weg abgekommen, wir. . . .

Wachtmeister: Das ist genug. Folgen Sie mir. Ihre Geschichten interessieren mich nicht. Los, kommen Sie.

Der Wachtmeister und seine Leute begleiten Brigitte und Bernd. Sie erreichen das Dorf. Es ist ein kleines Dorf nahe der Grenze. Eine Kirche, ein paar Häuser, einige Geschäfte, ein großes weißes Gebäude. Das ist wahrscheinlich das Bürgermeisteramt. Auf der Hauptstraße seht ihr drei alte Autos, viele Hühner, kleine schwarze Schweine, die frei herumlaufen und eine große, braune Kuh. Kinder spielen Fußball mit einer Konservendose. Sie sehen die drei Soldaten und folgen ihnen. Der Wachtmeister ruft eins der Kinder. Es ist ein Junge, etwa zehn Jahre alt.

Wachtmeister: He, Paco, komm her! Geh nach Hause zu meiner Frau. Du sagst ihr: Der Wachtmeister ist beschäftigt, er kommt nicht sofort nach Hause. Verstanden? Dann lauf schnell.

Paco und seine Freunde laufen zu dem Haus des Wachtmeisters. Dieser begleitet seine Gefangenen.

Bernd: Das ist also Ihr Gefängnis!

Wachtmeister: Gefällt es Ihnen nicht?

Brigitte: Oh doch, sehr, es ist sehr schön.

Wachtmeister: Sie bleiben hier. Ich werde Sie verhören. Zuerst Sie, gnädige Frau.

Die Soldaten bringen Bernd in eine Zelle. Der Wachtmeister nimmt zwei Stühle, einen für sich selbst, einen für Brigitte. Dann stellt er Fragen.

Währenddessen sucht Professor Klaßen immer noch das Flugzeug. Der Jeep fährt durch ein schwieriges Gelände.

Klaßen: Wo ist nur das Flugzeug? Ich habe es gesehen. Es ist etwa dort gelandet. Vielleicht ist es dort hinter den Bäumen.

Er fährt weiter. Er erreicht die Bäume. Und plötzlich... etwa hundert Meter weiter, sieht er das Flugzeug.

Klaßen: Das ist es. Sie hatten einen Unfall. Was ist passiert?

Er hält neben dem Flugzeug an. Er ruft.

Klaßen: Brigitte! Bernd! Seid ihr hier? Wo seid ihr? Das Flugzeug ist leer. Was ist passiert? Sie hatten einen Unfall. Das ist sicher. Aber wo sind sie?

Er verläßt wieder das Flugzeug. Er sieht sich um. Er sucht Brigitte und Bernd. Er ruft sie. Er kommt zurück zu dem Flugzeug. Er zögert.

Klaßen: Und die Kisten? Ob sie noch hier sind? Ich habe sie nicht gesehen. Ich sehe noch mal nach.

Er steigt in das Flugzeug. Die Kisten sind da, unbeschädigt; sie sind alle da, voll mit Figuren, und wunderschönen Masken.

Klaßen: Aber wo sind nur die Beiden? Sind sie weggelaufen? Nein, das kann nicht sein. Ich nehme die Kisten. Ich lade sie in den Jeep und bringe sie nach Merida.

Er ruft noch einmal Brigitte und Bernd. Dann holt er die Kisten aus dem Flugzeug und bringt sie in den Jeep. Er beeilt sich. Er verliert keine Zeit. Als er fertig ist, steigt er in den Jeep und fährt sofort los. Seine Augen haben einen eigenartigen Schein.

Wir sind wieder im Gefängnis. Da sind zwei Zellen, eine neben der anderen. Eine ist für Brigitte, eine für Bernd. Die Zellentüren sind nicht aus Holz oder Eisen, es sind Gittertüren. Also kann man mit dem Nachbarn sprechen. Brigitte und Bernd sprechen leise miteinander.

Bernd: He, Brigitte, verstehst du mich?

Brigitte: Ja, ich verstehe dich. Aber paß auf, der Wachtmeister.

Bernd: Siehst du ihn?

Brigitte: Nein.

Bernd: Ich glaube, er ist weggegangen. Keine Angst. Was hat er dich gefragt? Er hat dich verhört, nicht wahr?

Brigitte: Natürlich hat er mich verhört.

Bernd: Was hat er dich gefragt?

Brigitte: Er hat mich nach meinen Papieren gefragt.

Bernd: Mich auch.

Brigitte: Und nach meiner Herkunft.

Bernd: Ich hoffe, du hast nichts von dem Flugzeug gesagt?

Brigitte: Nein.

Bernd: Was hast du gesagt?

Brigitte: Ich habe gesagt: das ist so, wir sind mit einem Freund hier, er hat einen Jeep. Wir sind Touristen...

Bernd: Bravo, das habe ich auch gesagt.

Brigitte: Und dann: ja, das ist unser Fehler. Wir sind über die Grenze gekommen. Aber wir sind unschuldig.

Bernd: Gut, das habe ich auch gesagt.

Brigitte: Hat er dir geglaubt?

Bernd: Ich weiß nicht. Ich glaube nicht. Er hat den Raum verlassen. Er ist zurückgekommen. Er hat mich wieder verhört.

Er hat dieselben Fragen wiederholt: „Was macht ihr hier?“ Also sagte ich: „Wir sind zu Besuch, wir sind deutsche Touristen.“

Brigitte: Genau das habe ich auch gesagt. Warum behält er uns dann im Gefängnis?

Bernd: Er ist sogar weggegangen.

Brigitte: Für wie lange ist er weggegangen?

Bernd: Und wohin? Was tut er?

Brigitte: Und Herbert wartet auf Nachricht.

Bernd: Und Klaßen? Glaubst du, er hat angerufen?

Brigitte: Wen? Herbert?

Bernd: Ja.

Brigitte: Das glaube ich nicht. Klaßen ist ein seltsamer Mann.

Bernd: Aber er kennt sein Fach.

Brigitte: Ja, das stimmt, aber ich kann ihn nicht leiden. Und außerdem. . .ich bin nicht sicher, das ist wahr, aber. . .

Bernd: Was?

Brigitte: Warum hatten wir den Unfall?

Bernd: Ich nehme an, der Motor war defekt.

Brigitte: Ja, aber trotzdem. . .ich habe darüber nachgedacht und verstehe es immer noch nicht. Der Motor läuft gut, sogar sehr gut, und plötzlich steht er still. Wie erklärst du das?

Bernd: Eine Ölpanne, oder?

Brigitte: Ja, das glaube ich auch. Also war es die Ölpumpe. . .oder . . .es fehlte Öl.

Bernd: Und du glaubst, Klaßen hat den Öltank geleert?

Brigitte: Ich weiß es nicht.

Bernd: Das ist natürlich möglich. Aber warum? Um die Kisten zu nehmen?

Brigitte: Ich weiß es nicht, Bernd, ich weiß es nicht.

Bernd: Aber ich weiß, wir werden nicht hierbleiben.

Brigitte: Mir ist es recht. Aber wie willst du aus diesem Gefängnis herauskommen?

Bernd: Das weiß ich auch nicht, aber wir versuchen es.

Brigitte: Hast du eine Idee?

Bernd: Nicht direkt. Hast du Geld?

Brigitte: Ja.

Bernd: Ich auch. Ich habe noch fünfhundert Dollar.

Brigitte: Na und?

Bernd: Weißt du, mit Geld. . .Ein Wachtmeister verdient nicht viel. Also. . .

Brigitte: Das ist eine Idee!

Bernd: Paß auf, da kommt er.

Wachtmeister: Ruhe dort drinnen, Ruhe! Es ist verboten, miteinander zu sprechen.

Brigitte: Aber, Herr Wachtmeister...

Bernd: Hören Sie, Wachtmeister, wollen Sie nicht...

Wachtmeister: Ruhe, sage ich. Ihr seid meine Gefangenen und ich sage: es ist verboten miteinander zu sprechen. Das ist ein Befehl. Und ich warne Sie, noch ein Wort und Sie bleiben hier in diesem Gefängnis für eine lange Zeit.
Er legt seine Pistole auf den Tisch. Er zündet sich eine Zigarre an. Er betrachtet seine Gefangenen mit finsterem Blick.

Fragen

1. Was sehen Brigitte und Bernd zuerst von dem Dorf?
2. Wie sieht der Wachtmeister aus?
3. Was muß man haben, wenn man in ein fremdes Land fährt?
4. Können Sie erzählen, was es alles in Santiago de las Piedras gibt?
5. Warum können Bernd und Brigitte im Gefängnis miteinander sprechen?
6. Was haben die Beiden dem Wachtmeister erzählt?

CORREOS

7 Schwarze Bohnen

Wir sind in Blankenese bei Hartmanns. Herbert hat schlechte Laune. Immer noch keine Nachricht von Brigitte und ihren Leuten, Bernd und Klaßen. Das Telefon läutet, jawohl es läutet. Aber man hört immer dieselbe Stimme. Es ist Webers Stimme.

Herbert: Hallo...

Weber: Na, haben Sie Nachricht, ja oder nein? Meine Kunden wollen kaufen und...

Herbert: Aber ja, mein bester Freund, ich verstehe. Aber was wollen Sie, eine kleine Verspätung...

Weber: Eine kleine Verspätung? Haben Sie wenigstens Nachricht? Ich will wissen: haben Sie nun die berühmten Figuren oder nicht? Ich will sie spätestens in achtundvierzig Stunden.

Herbert: In spätestens achtundvierzig Stunden, Sie sagten das schon, aber...

Weber: Achtundvierzig Stunden. Das ist mein letztes Wort, oder...

Herbert: Oder was?

Weber: Oder Sie geben mir mein Geld zurück.

Herbert: Haben Sie doch noch ein bißchen Geduld. Wir haben nur eine kleine Verspätung. Sie können das Ihren Kunden erklären. Sie können ein bißchen warten.

Weber: Warten? Sie können warten? Das ist meine Angelegenheit und die meiner Kunden. Aber nicht Ihre. Sie und ich, wir haben einen Vertrag und Sie haben Verspätung. Das ist alles. Wenn Sie die Figuren nicht liefern wollen oder können...

Herbert: Aber natürlich will ich, und ich kann. Sie wissen das so gut wie ich.

Weber: Gut, das genügt. Ich habe keine Zeit, mich zu unterhalten. Sie liefern die Figuren in achtundvierzig Stunden oder Sie geben mir mein Geld zurück. Entweder oder. Das ist mein letztes Wort, hören Sie?

Herbert: Na gut, Sie können mir vertrauen. Hallo.. .hallo.. .Na so was, der Hund, er hat aufgehängt.

Er ist wütend. Er ist vor allem nervös. Ute, seine Frau, kommt nach Hause.

Ute:	Wieder er?
Herbert:	Ja.
Ute:	Was will er denn schon wieder?
Herbert:	Immer dasselbe. Die Figuren oder sein Geld.
Ute:	Und für wann?
Herbert:	Spätestens in achtundvierzig Stunden.
Ute:	Und was hast du gesagt?
Herbert:	Nichts. Ich konnte nichts sagen. Er hat aufgehängt. Und was soll ich ihm sagen? Ohne Nachricht von Brigitte und Bernd, was soll ich da sagen?
Ute:	Oh, diese Bande.
Herbert:	Was willst du damit sagen?
Ute:	Ich will sagen. . .Willst du es wirklich wissen? Ich traue ihnen nicht.
Herbert:	Du traust ihnen nicht? Wieso? Warum?
Ute:	Sie haben sicher die Sachen gefunden. Und dann haben sie gedacht: „Warum arbeiten wir für Herbert? Wir können für uns selbst arbeiten.“ Sie wissen, wie wertvoll die Sachen sind. Sie sind damit auf und davon. Das denke ich.
Herbert:	Oh, was du schon denkst.
Ute:	Warum rufen sie dann nicht an? Kannst du das erklären?
Herbert:	Natürlich nicht.
Ute:	Also gut, und ich sage dir, diese Brigitte ist abenteuerlustig.
Herbert:	Du bist eifersüchtig, das ist alles.
Ute:	Und du bist sicher verliebt.
Herbert:	Du redest Unsinn.
Ute:	Ich sage, und ich wiederhole, diese Frau ist abenteuerlustig. Ist sie Pilotin? Ja oder nein?
Herbert:	Ja, sie ist Pilotin, na und?
Ute:	Also liebt sie Abenteuer. Sie ist zu allem bereit.
Herbert:	Das ist lächerlich.
Ute:	Du bist lächerlich. Du willst nicht die Wahrheit sehen. Du hilfst ihr noch. Sie ist ja deine Ex-Freundin, nicht wahr?
Herbert:	Du bist dumm. Das ist schon lange her.
Ute:	Du liebst sie immer noch. Und sie weiß das, glaube mir.
Herbert:	Für mich ist sie Pilotin, sonst nichts.
Ute:	Und ich bin nicht deine Bank.
Herbert:	Nicht deine Bank? Was willst du sagen? Wieso?
Ute:	Wieso? Weil Weber sein Geld will. Ich kenne dich. Du wirst mich nach Geld fragen. Und ich sage: *Nein.* Für ein Mädchen wie diese Brigitte verliere ich mein Geld nicht.

Herbert: Ja, ja schon gut. Du gibst kein Geld für meine Ex-Freundin, hör doch auf!

Es ist immer dasselbe Lied zwischen Herbert und Ute Hartmann: Streit, Eifersuchtsszenen, Geld. Das ist sehr unangenehm.

In ihrem Gefängnis in Mittelamerika haben Bernd und Brigitte andere Probleme: wie kommen sie aus dem Gefängnis? Sie versuchen, leise miteinander zu sprechen.

Bernd: Brigitte, verstehst du mich?

Brigitte: Ja, was ist los?

Bernd: Um hier herauszukommen. . .ich weiß nicht. Vielleicht rufen wir die deutsche Botschaft an.

Brigitte: Und was sagen wir? Wie können wir hier anrufen?

Bernd: Mit der Erlaubnis des Wachtmeisters.

Brigitte: Ja, aber wir sind Gefangene.

Bernd: Aber wir können trotzdem fragen.

Brigitte: Ja, und ich kenne seine Antwort.

Bernd: Vielleicht hast du recht.

Brigitte: Weißt du, er hat den ganzen Tag nichts zu tun. Jetzt hat er zwei Gefangene, Ausländer. Jetzt ist er glücklich und will uns festhalten.

Bernd: Er will uns festhalten? Festhalten, das klingt gut, aber für wie lange? Er kann uns hier nicht für Jahre festhalten. Ich will hier raus. Ich habe Hunger.

Brigitte: Ich auch. Einen Teller voll schwarzer Bohnen und ein Glas Wasser. . .das ist nicht viel.

Bernd: Was willst du? Wir sind nicht in Hamburg. Übrigens kennst du die kleine Kneipe in der Talstraße?

Brigitte: Welche, Heins Pinte?

Bernd: Ja, die ist wirklich prima.

Brigitte: Das ist seltsam, ich habe dort vor unserer Abreise gegessen.

Bernd: Und du, kochst du gerne?

Brigitte: Ja, es geht.

Bernd: Also, hör zu. Ich bringe dich aus dem Gefängnis, wir fahren nach Hamburg. Du lädst mich zu dir ein und wir machen ein gutes Essen. Ich möchte haben: hm. . .warte. . . .schwarze Bohnen a la Sargento Hernández del Carcel de San Jeronimo de todas las Americas. Hm, köstlich!

Brigitte: Wunderbar!

Bernd: Hm, mir läuft das Wasser im Mund zusammen.
Brigitte: Gut, willst du wirklich schwarze Bohnen essen? Also lade ich dich zum Frühstück ein, hier in meine hübsche, kleine Zelle.

Brigitte: Da is ja unser Freund.
Wachtmeister: Pst, Ruhe, es ist verboten, miteinander zu sprechen.
Wachtmeister: Kommen Sie heraus.
Bernd: Wir können hinauskommen?
Wachtmeister: Ich will Sie verhören. Hierher!
Brigitte: Wir können wirklich hinauskommen?
Wachtmeister: Ja, kommen Sie.
Bernd: Können wir das Gefängnis verlassen? Wir möchten in einem guten Restaurant frühstücken.
Wachtmeister: Gefangener, Sie sind aber lustig. Der Gefangene hat Humor. Na gut. Auch ich habe Humor.
Bernd: Das höre ich gern.
Wachtmeister: Aber heute nicht!
Bernd: Ooh!
Wachtmeister: Morgen vielleicht. Sie können mir glauben.
Bernd: Aha, morgen. Das höre ich gern.
Wachtmeister: Sí Señor, mañana.
Bernd: Oder vielleicht. . . übermorgen?
Wachtmeister: Genau. Sie verstehen mich, ich verstehe Sie, das ist gut. So, nun werden wir ruhig miteinander sprechen. Also?
Bernd: Na gut. . .Ich will ehrlich sein. Ich will hier raus.
Brigitte: Ich auch.
Bernd: Jawohl, wir wollen hier raus.
Wachtmeister: Ich verstehe. Sie wollen hier raus. Und ich sage Ihnen: das ist nicht so einfach.
Bernd: Hören Sie, wir. . .wir wollen gerne. . .wie sagt man?
Brigitte: Nett zu Ihnen sein.
Bernd: Oh ja, natürlich, nett zu Ihnen sein. Und Sie sind dann nett zu uns.
Wachtmeister: Vielleicht.
Bernd: Sehen Sie.
Wachtmeister: Aber heute nicht.
Bernd: Mañana?
Wachtmeister: Vielleicht.
Bernd: Was heißt das eigentlich „mañana"?

Wachtmeister: Das heißt. . .hm. . .wenn es möglich ist.

Brigitte: Das heißt aber nicht „heute"?

Wachtmeister: Nein, nie.

Bernd: Und das heißt nicht immer „morgen"?

Wachtmeister: Vielleicht. Warum sind Sie über die Grenze gekommen?

Bernd: Ich habe es Ihnen schon gesagt.

Wachtmeister: Ja, Sie haben es mir schon gesagt. Sie auch, gnädige Frau. Ich glaube Ihnen nicht.

Bernd: Sie glauben uns nicht, aber es ist wahr. Wir haben den Weg verloren.

Wachmeister: Den Weg? Welchen Weg? Wohin gingen Sie? Was wollten Sie tun?

Brigitte: Ganz einfach. Wir hatten einen Unfall und wir. . .

Wachtmeister: Einen Unfall?

Bernd: *(leise)* Sei doch still.

Wachtmeister: Also Sie hatten eine Unfall?

Bernd: Oh nein.

Wachtmeister: Oh ja, die gnädige Frau sagt es. Einen Unfall? War für ein Unfall? Eisenbahn? Auto? Flugzeug? Sie werden über Ihren Unfall nachdenken und mir sagen wo. Sie haben zwei Minuten.

Brigitte: Hör zu, Bernd, das ist vielleicht eine Idee.

Bernd: Was? Unseren Unfall erklären? Sagen, wo das Flugzeug ist? Er wird das sicher nachprüfen. Er wird die Kisten finden. Und dann ist alles aus.

Wachtmeister: Denken Sie nicht, ich bin dumm. Ich bin ein dicker Wachtmeister mit Schnurrbart, ich spiele dumm. Aber ich bin nicht dumm. Ich weiß was!

Bernd: Sie wissen was?

Wachtmeister: Sie sprechen von einem Unfall und einem Flugzeug, stimmt das?

Brigitte: Ja, das stimmt. Wir sind Touristen. Wir haben ein kleines Touristenflugzeug.

Wachtmeister: Das ist eine gute Neuigkeit. Ich werde das mit der Polizei nachprüfen.

Bernd: Mit der Polizei?

Wachtmeister: Ja, von der anderen Seite der Grenze. Und wenn das stimmt, können Sie gehen. Vielleicht morgen. *(lacht)*

Klaßen ist wieder auf der Straße nach Merida. Er hat die Kisten mit den Figuren im Jeep. Er fährt schnell, sehr schnell. Dann sieht er Häuser, eine Kirche, einen Platz, ein Dorf. Er fährt langsamer. Er hält vor der Post an.

Klaßen: Entschuldigen Sie, ich möchte telefonieren, bitte.

Schalterdame: Ja, mein Herr. Wohin?

Klaßen: Nach Hamburg.

Schalterdame: Hamburg? Wo? In Deutschland?

Klaßen: Ja, in Deutschland. Muß ich lange auf den Anschluß warten?

Schalterdame: Ich weiß nicht. Einen Moment, bitte.

Klaßen: Es ist wichtig. Ich will den Anschluß sofort.

Schalterdame: Wissen Sie...

Klaßen: Hören Sie, gnädiges Fräulein, bitte, ich will den Anschluß sofort. Es ist sehr wichtig.

Klaßen besteht auf einen sofortigen Anschluß. Er ist nervös. Er bittet die Schalterdame noch einmal.

Klaßen: Bitte, gnädige Frau. Es ist sehr wichtig. Ich bitte Sie!

Fragen

1. Denkt Ute Hartmann, Brigitte und Bernd arbeiten für ihren Mann?
2. Wie lange hat Herbert Hartmann Zeit, die Figuren zu liefern?
3. Warum träumen Bernd und Brigitte im Gefängnis von einem guten Restaurant?
4. Hat der Wachtmeister viel zu tun?
5. Ist der Wachtmeister dumm?
6. Glauben Sie, Klaßen fährt in dasselbe Dorf, wo Bernd und Brigitte im Gefängnis sind?
7. Wen will der Professor anrufen?
8. Muß man warten, wenn man ins Ausland anrufen will?

8 Einundzwanzig

Wir sind wieder im Gefängnis. Bernd und Brigitte sind in ihren Zellen. Sie warten. Sie hoffen. Der Wachtmeister ist in seinem Büro. Er telefoniert; das heißt, er versucht es. Er hat kein automatisches Telefon, er kann nicht einfach durchwählen. Und der Anschluß ist nicht der beste.

Wachtmeister: Hallo? Hallo. Hallo! Fräulein, Sie haben den Anschluß unterbrochen. Hier ist der Grenzposten von San Jeronimo. Ich möchte mit Santiago de las Piedras verbunden werden. Hallo, hallo? Hallo, Hauptmann Arias? Hier spricht Wachtmeister Hernández de San Jeronimo. . .Wie bitte?. . .Nein, Hernández. . .Her-nán-dez!. . .Ja, Herr Hauptmann. . . . Nein, Herr Hauptmann. Ja, der Anschluß ist sehr schlecht. Hören Sie mich?. . .Ich rufe Sie an, weil ich hier zwei Gefangene habe, zwei Deutsche, einen Mann und eine Frau. Sie kommen von Ihnen. . . . Sie haben die Grenze überquert. Sie haben keine Papiere. Keine Reisepässe, nichts. . . Ja, sie sagen, sie. . .Sie sagen, sie sind Touristen. Sie hatten einen Flugzeugunfall. . . .Ein kleines Touristenflugzeug, glaube ich. . . Jawohl Herr Hauptmann, ich weiß nicht. . . Ich glaube, sie sind keine Touristen; ich glaube, sie sind vielleicht Schmuggler. . .*Ich* weiß es auch nicht. . .vielleicht Drogenschmuggel. . .Also, ich frage Sie, wissen Sie von einem Flugzeugunglück?. . .Wo?. . .Bei Ihnen natürlich . . .Wie bitte, ich verstehe Sie schlecht. . .Ich sagte, ein Flugzeugunfall. Ein kleines Touristenflugzeug. . .Ja, Herr Hauptmann. . .*(zu sich selbst)* So ein Idiot! *(ins Telefon)* Ja, ich weiß, aber ich will wissen: was ist in dem Flugzeug? . . .Aber ich kann nicht in Ihr Land kommen, ich will nicht in Ihr Land kommen. . .Also dann?. . .Wollen Sie bitte nachsehen?. . .Schicken Sie ein paar Leute und suchen Sie das Flugzeug. . .Oh ja, danke. . .Rufen Sie mich dann bitte an. . .Ja, ich bin Wachtmeister Hernández, Herr Hauptmann, . . .ich danke Ihnen, Herr Hauptmann. . .Zu Befehl, Herr Hauptmann. . .Auf Wiederhören, Herr Hauptmann. . . Sie sind verrückt, Herr Hauptmann. Wenn der Hauptmann ist, bin ich General.

Der Wachtmeister geht vor einen Spiegel. Er streicht sich über den Schnurrbart. Er zündet sich eine Zigarre an. Er grüßt.

Wachtmeister: General Hernández. General José Luis María Hernández del Ejército Nacional y de la República.
Der Spiegel klirrt unter seiner lauten Stimme.

Bernd und Brigitte in ihren Zellen haben nicht alles verstanden, was der Wachtmeister am Telefon sagte.

Bernd: Hast du gehört?
Brigitte: Nein, nicht alles.
Bernd: Ich glaube, er sprach von Schmuggel, nicht wahr?
Brigitte: Ja, ich glaube. Und ich habe das Wort *Droge* gehört.
Bernd: Nein! Wirklich?
Brigitte: Ich glaube ja.
Bernd: Das ist schlimm. Wenn er glaubt, wir haben Drogen, bleiben wir noch eine Weile hier.
Brigitte: Ja, aber wir haben keine Drogen, das ist gut.
Bernd: Aber er hat auch von Schmuggel gesprochen. Unsere Kisten mit den Figuren, das ist Schmuggelware.
Brigitte: Für die Leute von der anderen Seite ja.
Bernd: Warum hast du von dem Flugzeug gesprochen?
Brigitte: Warum. . .warum. Ich weiß es nicht. Ich habe es gesagt, das war dumm. Ich weiß, aber. . .
Bernd: Es war nicht dein Fehler.
Brigitte: Es war trotzdem dumm.
Bernd: Vielleicht ist es gut so. Sie suchen das Flugzeug. Sie finden es. Sie untersuchen es. Aber vielleicht öffnen sie die Kisten nicht.
Brigitte: Dann werden sie uns glauben.
Bernd: Ja, sicher.
Brigitte: Der Wachtmeister hat gesagt: „Wenn Sie die Wahrheit sagen, wenn Sie wirklich Touristen sind, sind Sie frei.“
Bernd: Siehst du, vielleicht hast du richtig reagiert.
Brigitte: Paß auf, der Wachtmeister kommt.

Der Wachtmeister kommt zurück. Er ist zufrieden. Er raucht seine Zigarre. Er lächelt. Er nähert sich den Zellen von Brigitte und Bernd.

Wachtmeister: Was erzählen Sie sich? Wovon sprechen Sie?

Brigitte: Wir? Von nichts.
Bernd: Nein, von nichts. Und Ihr Telefonanruf?. . .
Wachtmeister: Mein Telefonanruf?
Bernd: Sie haben doch telefoniert, nicht wahr?
Wachtmeister: Oh . . .ja. . .das stimmt.
Bernd: Und was haben Sie erfahren?
Wachtmeister: Nichts.
Brigitte: Aber nun wissen Sie oder glauben Sie, wir sind Touristen, nicht wahr?
Wachtmeister: Wissen Sie, ich weiß gar nichts. Aber ich habe telefoniert. Ich habe um Auskunft gebeten. Wir werden sehen.
Brigitte: Müssen wir lange warten?
Wachtmeister: Nein, natürlich nicht. Wir können Karten spielen, dann vergeht die Zeit schneller.
Bernd: Wir spielen Karten. . . Was? Poker?
Wachtmeister: Nein, ich spiele nie Poker. Kennen Sie *Einundzwanzig?*
Bernd: Einundzwanzig? Oh ja, das kenne ich.
Brigitte: Ich kenne es nicht.
Wachtmeister: Sie werden ja sehen, das ist sehr einfach. Ich erkläre es Ihnen. Sie erlauben?
Wachtmeister: Wenn Sie wollen, können Sie es der gnädigen Frau erklären.
Bernd: Oh nein, erklären Sie es nur.
Wachtmeister: Gut. Also ich erkläre es Ihnen. Sie werden sehen. Es ist sehr einfach. Kennen Sie die Karten?
Brigitte: Ja, As, König, Dame. Bube, Zehn. . .
Wachtmeister: Neun, acht, sieben und so weiter. König, Dame, Bube und Zehn zählen zehn Punkte. Das As zählt elf Punkte oder einen.
Brigitte: Das As zählt elf oder einen?
Wachtmeister: Wenn Sie ein As und eine Zehn haben oder einen König, dann haben Sie einundzwanzig Punkte.
Brigitte: Ja, und dann?
Wachtmeister: Dann haben Sie gewonnen und Sie zeigen Ihre Karten.
Brigitte: Gut, und wenn ich keine einundzwanzig Punkte habe?
Wachtmeister: Dann nehmen Sie noch eine andere Karte dazu. Ich glaube, Sie haben eine Drei und einen Buben.
Brigitte: Das macht. . . dreizehn Punkte.
Wachtmeister: Also nehmen Sie noch eine Karte. Die Bank gibt Ihnen noch eine Karte. Ich glaube, das ist eine Acht, dreizehn und acht, das macht einundzwanzig. Sie haben gewonnen.

Bernd: Ja, aber du sagst es nicht. Du behältst deine Karten. Du sagst nur: „Ich habe genug." Dann wartest du.
Brigitte: Und die anderen spielen weiter? Ich glaube, ich verstehe es nun.
Wachtmeister: Also spielen wir?
Brigitte: Wir spielen.
Bernd: Für Geld?
Wachtmeister: Ja, für ein paar Pesos.
Bernd: Mir ist es recht.
Wachtmeister: Ich übernehme die Bank, einverstanden? So, jeder hat zwei Karten. . .Wünsche?
Brigitte: Ja, eine für mich. Ich gebe fünf Pesos.
Bernd: Ich auch.
Wachtmeister: Und ich. . .drei Pesos. Eine Karte für Sie, eine Vier. Noch eine?
Brigitte: Ja.
Wachtmeister: Hier eine Drei.
Brigitte: Das genügt.
Wachtmeister: Und Sie?
Bernd: Ja, eine.
Wachtmeister: Hier eine Zehn. Noch eine?
Bernd: Danke, das genügt.
Wachtmeister: Wieviel haben Sie?
Brigitte: Achtzehn.
Bernd: Neunzehn, und Sie?
Wachtmeister: Ein König, eine Dame. Zwanzig.
Brigitte: Also hat er gewonnen.
Wachtmeister: *(lacht)* Ja, ich habe gewonnen. . . Noch ein Spiel?

Sie spielen mehrere Spiele. Der Wachtmeister gewinnt alle. Er ist gut gelaunt. Zwischen den Spielen erzählt er Geschichten.

Wachtmeister: Kennen Sie die Geschichte vom Kaninchen und der Maus?
Brigitte: Nein.
Wachtmeister: Ah, nein. . . entschuldigen Sie. . .die Geschichte von der Maus und dem Elefant.
Bernd: Oh nein, die kenne ich nicht.
Wachtmeister: Also erzähle ich sie. Sie ist sehr lustig. Sie werden sich totlachen. Also. . .da ist eine Maus, verstanden und . . .Nein, da ist ein Elefant. In Afrika. Er macht einen Spaziergang

und. . .und er trifft eine Maus, eine ganz kleine Maus. Natürlich fürchtet er sich ein bißchen; wissen Sie, Elefanten fürchten sich vor Mäusen. Also sagt er zu der Maus. . .Moment mal. . .Ja, so war es. Er sagt zu der Maus, . . .der Elefant. . .ich meine. . .sagt zu der Maus. . .hm. . .:„Sie sind aber klein, mein Fräulein.“ *(verrücktes Lachen)*

Brigitte: Oh, das ist wirklich lustig.

Wachtmeister: Aber nein, warten Sie doch. Die Geschichte ist noch nicht zu Ende. Also sagt die Maus zu dem Elefant. . . ich meine der Elefant sagt zu der Maus: „Sie sind aber klein, mein Fräulein.“ Und die Maus antwortet: „Ja, mein Herr, das stimmt. Ich war ja auch krank.“ *(lacht wie zwei Verrückte).*

Sie spielen noch ein Spiel. Der Wachtmeister gewinnt.

Wachtmeister: Und die Geschichte von dem Zebra, kennen Sie die? Sie ist sehr lustig. Ich glaube, daß ich. . .ich meine. . .ich will sagen, selbst vor einer Frau kann ich sie erzählen.

Brigitte: Aber bitte.

Wachtmeister: Also das ist so. Da ist ein Zebra und. . .Wir sind wieder in Afrika. Das Zebra ist sehr jung, verstehen Sie. Es kennt die Welt noch nicht. Es trifft ein Schaf und sagt:„Guten Tag, wer bist du?“ „Ich bin ein Schaf.“ „Was machst du?“ „Ich mache Wolle.“ Dann läuft es weiter und trifft eine Kuh. „Wer bist du?“ „Ich bin eine Kuh.“ „Eine Kuh, wirklich? Was machst du?“ „Ich mache Milch.“ Das Zebra findet das sehr interessant und läuft weiter. Dann trifft es Hühner, Enten, Ziegen und dann...Wissen Sie, in Afrika gibt es das alles. Also, zum Schluß trifft das Zebra einen Bullen. „Guten Tag, mein Herr, wer sind sie?“ „Ich bin ein Bulle.“ Und das Zebra fragt: „Was machen Sie?“ „Aha!“ sagt der Bulle . . .

Bernd und Brigitte horchen. Schon Nachrichten von der anderen Seite der Grenze? Nein, noch nicht.

Bernd: Ich glaube, er spricht mit jemandem aus dem Dorf.

Brigitte: Ich glaube, er spielt falsch beim Kartenspielen. Was meinst du?

Bernd: Oh ja, das ist möglich.

Brigitte: Er hat immer gewonnen. Ich bin sicher, er spielt falsch.

Bernd: Das ist nicht schlimm. Ich meine, das ist sogar sehr gut. Das ist ein Zeichen, daß er Geld mag. Wir können ihm Geld anbieten und hier rauskommen.

Brigitte: Paß auf, da kommt er wieder.

Wachtmeister: Na, noch ein Spiel? *(sieht auf die Uhr).* Schon zehn Uhr! Essenszeit. Also hören Sie zu. Sie bleiben ruhig in Ihrer Zelle, ich kaufe ein Bier.

Bernd: Das ist eine gute Idee. Können wir auch ein Bier haben? Hier, haben Sie zwanzig Dollar. Sie kaufen zwei Bier und behalten den Rest.

Wachtmeister: Wie, den Rest behalten? Geld annehmen? Ich, ein Wachtmeister der Republikanischen Armee? Das ist Bestechung! Bestechung? Niemals! Ich bin ein ehrlicher Mann. Ich bin Vater von zwölf Kindern. Ich bin ein guter Soldat. Sie wollen mich kaufen? Sie bleiben in dem Gefängnis!

Brigitte: Du mit deinen zwanzig Dollar. Nun ist alles aus. Das ist schlecht, sehr schlecht sogar.

Bernd: Aber nein, du verstehst das nicht. Ich war dumm, weil ich ihm nur zwanzig Dollar angeboten habe. Wenn er zurückkommt, biete ich ihm fünfzig Dollar an, dann läßt er uns frei.

Fragen

1. Worum bittet der Wachtmeister den Grenzposten von der anderen Seite der Grenze?
2. Sind Bernd und Brigitte Schmuggler?
3. Wovon träumt der Wachtmeister, wenn er sich im Spiegel betrachtet?
4. Wie wollen Bernd und Brigitte aus dem Gefängnis kommen?
5. Können Sie das Kartenspiel *Einundzwanzig* erklären?
6. Kennen Sie die Namen der Spielkarten?
7. Können Sie die Geschichte von der Maus und dem Elefanten erzählen?
8. Läßt der Wachtmeister sich bestechen?

9 Poker

Ein kleines Dorf auf der Straße nach Merida. Da ist ein Dorfplatz. Da ist auch ein Jeep vor der Post. Und in der Post ist Professor Klaßen. Er hat einen Telefonanruf nach Hamburg angemeldet. Er wartet. Er ist sehr nervös.

Klaßen: Aber mein Fräulein, mein Anschluß nach Hamburg, wann habe ich ihn?

Telefonistin: Aber ja, mein Herr. Ich habe noch zwei andere Leute, die warten. Gedulden Sie sich, Sie werden Ihren Anschluß bekommen.

Klaßen: Ich hoffe es. Sagen Sie mir bitte sofort Bescheid.

Telefonistin: Ich rufe Sie. . .

Klaßen wartet. Er nimmt ein Blatt Papier und schreibt. Er schreibt Zahlen. Er schreibt auch einige Wörter.

Klaßen: *(schreibt)* Statuen, Figuren; klein: zwei. . .nein, dreitausend Mark das Stück; mittlere Größe: achttausend Mark; große Figuren: sechzehntausend Mark; Masken: vierzigtausend Mark das Stück. In den Kisten ist ein wahrer Reichtum.

Telefonistin: Ihr Anschluß, mein Herr. Hier ist er. Ich habe Verbindung mit Hamburg.

Klaßen: Danke.

Telefonistin: Gehen Sie bitte in die Kabine.

Klaßen: Wo?

Telefonistin: Sie ist dort links.

Klaßen: Hallo, hallo?. . .Manfred? Ich bin's, Thomas. Ich rufe von Mexiko an. . .Ja, alles verläuft gut. Sogar bestens. Aber du mußt mir helfen. Kannst du mir helfen?. . . Aber nein, ich sage doch, alles verläuft bestens. Hast du Papier und einen Bleistift?. . .Also, paß auf. An der Ecke Alter Wall, Jungfernstieg schreibst du auch?. . .Gut. Also an dieser Ecke ist ein Antiquitätengeschäft. Kennst du es?. . .Ja, genau das Geschäft gleich an der Ecke. Gehe bitte in das Geschäft. Du fragst nach dem Besitzer. Er kennt mich. . .Du kannst sagen: du kommst im Namen des Archäologen aus Yucatan. Du sagst ihm: „Der Professor ist noch in Mexiko. Er hat eine bedeutende Sammlung für Sie.“ Nein, nein, keine

Einzelheiten. Du sprichst nur von einer Sammlung, einer Sammlung, die aus. . .Wie?. . .Du kannst ihm sagen, daß es eine Sammlung von Mayafiguren ist und daß sie einzigartig ist. Und sage ihm auch: „Der Professor kommt bald nach Hamburg zurück. Er weiß noch nicht genau, wann. Aber er kommt bald. Er wird Ihnen die Figuren zu einem guten Preis anbieten. Er kann sie in einigen Tagen schicken. Er möchte das Geld dafür sofort nach seiner Ankunft in Hamburg haben.“ Hast du verstanden? Kannst du heute zu ihm gehen? Ja, das Geschäft ist an der Ecke Alter Wall, Jungfernstieg. . .Danke, vielen Dank. . .Bis bald. . .Auf Wiederhören.

Professor Klaßen fragt, wieviel das Gespräch kostet. Er bezahlt. Er verläßt die Post und steigt in den Jeep.

Im Gefängnis warten immer noch Brigitte und Bernd hinter Gittern in ihren Zellen.

Bernd: Hör zu, Brigitte. Glaube mir, der Wachtmeister ist kein einfacher Mann, aber Geld interessiert ihn. Und das ist wichtig.

Brigitte: Er hat dein Geld verweigert.

Bernd: Er hat nicht mein Geld verweigert, er hat die zwanzig Dollar verweigert. Das ist nicht das Gleiche. Ein kleiner Unterschied. . .

Brigitte: Aber er hat gesagt, er nimmt kein Geld.

Bernd: Ich weiß, ich weiß, aber das täuscht. Jetzt wird er auch Poker spielen, glaube mir. Und du weißt genau, Herbert wartet auf Nachricht. Ich will hier raus.

Brigitte: Wir haben jetzt schon vier oder fünf Tage Verspätung. Wenn ich daran denke, daß die Kisten noch im Flugzeug sind. . .

Bernd: Ich hoffe. . .

Brigitte: Was hoffst du?

Bernd: Nichts. . .Ich . . .hm. . .die Polizei oder vielleicht Soldaten haben die Kisten gefunden.

Brigitte: Und ich denke, daß vielleicht Klaßen. . .

Bernd: Glaubst du, daß. . .

Brigitte: Ich sagte dir schon, ich kann ihn nicht leiden. Etwas an ihm mag ich nicht.

Bernd: Ich denke, er wartet ruhig im Hotel Tropicana auf uns. Aha, da kommt ja auch der Wachtmeister. Und. . .sieh doch. . . Hast du gesehen?

Der Wachtmeister stellt drei Flaschen Bier auf den Tisch.

Bernd: Das ist sicher für uns. Das ist ein guter Moment. Ich werde ihm fünfzig Dollar für das Bier geben.

Brigitte: Paß auf. Ich glaube, er ist nicht so gut gelaunt.

Wachtmeister: Hier, bitte. Sie wollen Bier. Ich bringe Ihnen zwei Flaschen.

Brigitte: Vielen Dank, Herr Wachtmeister, vielen Dank.

Bernd: Sie sind wirklich sehr freundlich, aber... warten Sie.

Bernd nimmt einen Fünfzig-Dollarschein aus der Tasche.

Bernd: Aber wir wollen das Bier gerne bezahlen.

Wachtmeister: Nein, nein das ist gut so, das ist nicht wichtig. Ich sage Ihnen, das kann warten.

Er betrachtet den Geldschein, den Bernd in der Hand hat.

Wachtmeister: Und außerdem habe ich kein Wechselgeld.

Bernd ist nicht sicher. Hat der Wachtmeister nicht eben ein bißchen gelächelt? Er will lieber warten. Der Wachtmeister öffnet die zwei Flaschen und gibt sie den Beiden. Dann nimmt er eine alte Schreibmaschine von seinem Schrank und setzt sie auf den Tisch. Er blickt sehr ernst. Er beginnt zu tippen, langsam, mit einem Finger. Das hört sich nicht besonders fachmännisch an. Für einen Wachtmeister von der Republikanischen Armee ist das enttäuschend.

Bernd: Was machen Sie?

Wachtmeister: Ruhe!

Bernd: Aber...

Wachtmeister: Ich stelle die Fragen, nicht Sie. . .Also, gnädige Frau, Ihre Personalien.

Brigitte: Ich habe sie Ihnen doch schon gegeben.

Wachtmeister: Also geben Sie sie mir noch einmal.

Brigitte: Aber warum?

Wachtmeister: *Ich* stelle die Fragen. Ihren Vornamen?

Brigitte: Brigitte, Monika, Erika.

Bernd: *(lacht)* Erika!

Brigitte: Warte nur. Er wird dich auch fragen.

Wachtmeister: Ruhe, bitte! Langsam, ich schreibe auf der Maschine. Vornamen?

Brigitte: Brigitte, Monika, Erika.

Wachtmeister: Geburtsdatum und Geburtsort?

Brigitte: Fünfundzwanzigster April, neunzehnhundertfünfzig in Hamburg.

Wachtmeister: Adresse?

Brigitte: Das habe ich Ihnen doch schon gesagt.
Bernd: Nur zu, Erika!
Brigitte: Halte den Mund. . .Otto!
Wachtmeister: Langsam, bitte. . .langsam. Adresse?
Brigitte: Hafenstraße fünf.
Der Wachtmeister versucht, die Adresse zu tippen. Das fällt ihm schwer.
Brigitte und Bernd: *(lachen)*
Wachtmeister: In Hamburg?
Brigitte: Ja, in Hamburg.
Bernd: In Sankt Pauli natürlich!
Wachtmeister: Beruf?
Brigitte: Keinen.
Wachtmeister: Wie bitte?
Brigitte: Keinen. Keinen Beruf.
Wachtmeister: Grund Ihrer Reise?
Brigitte: Wohin?
Wachtmeister: Grund Ihrer Reise in die Republik?
Brigitte: Ich weiß nicht. . .Warten Sie. . . .Was soll ich ihm sagen?
Bernd: Du kannst sagen. . .Familiengründe.
Brigitte: Hören Sie, Herr Wachtmeister. Das ist doch alles Unsinn.
Wachtmeister: *(unbeirrbar)* Dauer Ihres Aufenthaltes?
Brigitte: Wenn das so weiter geht. . .zwei Jahre.
Bernd: Mindestens. Es gefällt uns ja so gut hier.
Brigitte: Warum alle diese unsinnigen Fragen?
Wachtmeister: Sie haben keine Papiere. Ich fülle Ihre Papiere aus. Das ist Gesetz.
Brigitte: *(leise)* Was will er nur?
Bernd: Nichts. Er schlägt sich die Zeit tot. Er will uns ärgern. Gleich will er auch sicher das Geld haben für das Bier. Er gibt mir nur Zeit, Zeit zum Nachdenken. Er hat zwanzig Dollar verweigert. Also erwartet er sicher hundert Dollar. Er hat Zeit, aber wir. . .
Der Wachtmeister stellt weiter Fragen. Das ist Gesetz.

In Blankenese bei Hartmanns, läutet schon wieder das Telefon.
Herbert: Ute, nimm du den Hörer ab.
Ute: Das ist sicher für dich. Das ist sicher Weber.
Herbert: Genau, darum nimm du den Hörer ab.

Ute: Nein, deine Geschäfte mit Weber interessieren mich nicht.
Herbert: Hallo....
Weber: *(außer sich)* Hallo, Leopold Weber am Apparat.
Herbert: Ja, guten Tag.
Weber: Hören Sie, mein lieber Freund. Ich habe interessante Neuigkeiten.
Herbert: Oh...
Weber: Ja, ein interessantes Angebot von Figuren und Masken.
Herbert: Was? Was sagen Sie da?
Weber: Sie haben richtig gehört, einzigartige Stücke, die aus Yucatan kommen.
Herbert: Das wundert mich aber.
Weber: Vielleicht, aber es stimmt. Die Sachen werden bald hier sein. Also will ich sofort mein Geld zurück. Heute abend. Unser Geschäft ist abgeschlossen.

Herbert weiß nicht, was er sagen soll. Er schweigt.

Weber: Hallo, hallo hören Sie mich?
Herbert: Ja, natürlich. Und nun werden Sie sich wundern, mein lieber Freund. Hören Sie?
Weber: Wieso? Ich höre.
Herbert: Was Sie für Ihr Geld kaufen wollen, ist unecht. *(lacht)* Ich habe diese Stücke gerade verweigert.
Weber: Wirklich?
Herbert: *(lacht wieder)*

Herbert lacht erneut. Das scheint gutzugehen. Seine Lüge scheint Weber zu überzeugen.

Herbert: Ja, die Stücke sind unecht, *echte unechte Stücke,* sage ich Ihnen. Und ich habe auch Neuigkeiten. In genau einer Stunde erwarte ich eine meiner Kisten.
Weber: Ist das wahr?
Herbert: Sie kennen mich, mein lieber Leopold.. .Ja, das ist wahr. In einer Stunde habe ich die Sachen. Geben Sie mir eine Stunde, um die Kisten zu öffnen, zu prüfen.. .und den Wert zu schätzen. Ich rufe Sie in zwei Stunden an. Einverstanden?
Weber: Eh.. .wenn das so ist, einverstanden.

Ute: Also?
Herbert: Er sagt, jemand hat ihn angerufen und ihm Masken und Figuren angeboten.

Ute: Woher kommen die Sachen?

Herbert: Aus Yucatan. Und ich habe ihm gesagt, daß dies ohne Zweifel unechte Stücke sind, und daß ich sie auch verweigert habe. Und ich habe auch meine Lieferung hier.

Ute: Aber das. . . .

Herbert: Ich habe die Figuren hier. Als ich Klaßen die anderen verkauft habe, hat er mir diese gegeben. Er hat gesagt: „Sie sind sehr schön, sie sind sehr gut gemacht; aber sie sind unecht. Nur ein Experte kann das sehen." Also verkaufe ich sie Weber.

Ute: Bist du verrückt?

Herbert: Das ist ganz einfach. Er will sofort sein Geld. Also habe ich keine Wahl. Und außerdem, verstehst du, wenn das stimmt, wenn er wirklich ein Angebot hat, kann ich nicht warten. Oder er hat gelogen.

Ute: Nein, er hat nicht gelogen. Ich bin sicher. Er hat ein anderes Angebot. Und weißt du von wem? Von deiner Freundin Brigitte. *Sie* hat ihn angerufen. Sie hat *ihn* angerufen und nicht dich.

Herbert: Aber nein!

Ute: Haben sie oder Bernd dich angerufen, haben sie? Nein, also. . .

Im Gefängnis klingelt auch das Telefon. Brigitte und Bernd hören, was der Wachtmeister sagt.

Wachtmeister: Wachtmeister Hernández. . .Ja, Herr Hauptmann. . .Also, Sie haben es gefunden?. . .Wirklich?. . .Sind Sie sicher?. . . Das ändert natürlich alles. . .Ja, ich werde darüber nachdenken. . .

Der Wachtmeister ist sehr ernst. Er hört aufmerksam zu und sieht zu seinen Gefangenen.

Fragen

1. Ruft Professor Klaßen in Hamburg Herbert Hartmann an?
2. Glauben Sie, der Wachtmeister wird das Geld annehmen?
3. Erinnern Sie sich an alle Vornamen von Brigitte?
4. Welche Neuigkeit hat Leopold Weber für Herbert Hartmann?
5. Glauben Sie, die Stücke aus Yucatan für Weber sind echt?
6. Herbert sagt, er hat die Kisten. Stimmt das?
7. Von wem hat Leopold Weber das Angebot bekommen?
8. Denkt Frau Hartmann, daß das Angebot aus Mexiko kommt?
9. Was haben Sie verstanden, als Sie den Wachtmeister telefonieren hörten?

10 Keine Ursache

Wachtmeister: Wachtmeister Hernández. . .Ja, Herr Hauptmann. . .Also, Sie haben es gefunden?. . .Wirklich?. . .Sind Sie sicher?. . . Das ändert natürlich alles. . .Ja, ich werde darüber nachdenken. . .

Der Wachtmeister ist sehr ernst. Er hört aufmerksam zu und sieht zu seinen Gefangenen.

Bernd: *(leise)* Ich glaube, das sind schlechte Nachrichten für uns.

Wachtmeister: Ja, Herr Hauptmann. . .Vielen Dank. . .Das ist natürlich sehr wichtig für mich. . .Wie lange soll ich sie hierhalten?... Ah, da denke ich aber anders....Noch einmal, vielen Dank. Auf Wiederhören, Herr Hauptmann.

Er geht zu Bernd und Brigitte, immer noch mit ernstem Gesicht. Bernd hat sich entschieden. Er will es tun. Er holt aus seiner Tasche einen Hundert-Dollarschein.

Bernd: Hören Sie, Herr Wachtmeister, verstehen Sie doch. Verstehen Sie doch unsere Lage.

Wachtmeister: Ja?

Bernd: Wir wollen hier raus. Wir können nicht Tage, Wochen, Monate hierbleiben. Also nehmen Sie diesen Schein und. . .

Der Wachtmeister sieht Bernd an. Er stellt sich unwissend.

Wachtmeister: Was ist das?

Bernd: Einhundert Dollar!

Wachtmeister: Wirklich?

Bernd: Das ist für das Bier, die zwei Flaschen Bier. Sie haben für uns zwei Flaschen Bier gekauft. Also. . .

Wachtmeister: Na gut, wenn es so ist. Und auch für Sie, gnädige Frau, ist es gut. Bitte, Sie sind frei. Aber, he, passen Sie auf! Keine dummen Geschichten mehr. Ich bringe Sie an die Grenze.

Bernd: Danke, Herr Wachtmeister, vielen Dank.

Wachtmeister: Aber passen Sie auf. Passen Sie gut auf. Kommen Sie, wir nehmen einen kleinen Weg.

Bernd: In Ordnung. Wir folgen Ihnen.

Wachtmeister: Kommen Sie.

Sie verlassen das Gefängnis, gehen hinter einigen Häusern vorbei, laufen einen Kilometer und kommen an eine Straße.

Wachtmeister: So, meine Freunde, Sie haben die Grenze überschritten. Sie sind jetzt frei. *(lacht schallend)*

Plötzlich lacht der Wachtmeister. Er lacht schallend. Bernd und Brigitte wissen nicht warum, aber auch sie müssen lachen, ein bißchen.

Wachtmeister: *(lautes Lachen)* Sie sind frei. Sie können gehen. Und. . . danke. Danke für die hundert Dollar.

Bernd: Schon gut, keine Ursache. Vielen Dank.

Wachtmeister: *(lacht wieder)* De nada! De nada. Ihr Flugzeug ist dort, hinter den Bäumen. Die Leute des Hauptmanns haben Ihr Flugzeug gefunden, aber . . .es ist leer. Es ist vollkommen leer! Sie haben nichts in Ihrem Flugzeug gefunden, nada, nada! Meine Freunde, Ihr seid frei. Also, geht doch! *(lacht hysterisch) Er schießt in die Luft. Bernd und Brigitte laufen so schnell sie können.*

Auf dem Flughafen von Merida. Klaßen ist dort mit seinem Jeep. Er geht sofort zum Schalter einer internationalen Fluggesellschaft. Er spricht mit einem der Angestellten der Gesellschaft.

Klaßen: Ich will drei Kisten mit dem Flugzeug nach Hamburg schicken. Ist das möglich?

Angestellter: Aber ja, mein Herr.

Klaßen: Wann geht der nächste Flug?

Angestellter: Unser nächster Flug geht morgen früh.

Klaßen: Das ist gut. Ich habe Kisten in meinem Wagen. Ich bezahle und lasse sie Ihnen hier.

Angestellter: Oh nein, mein Herr, Sie müssen zuerst damit zum Zoll gehen.

Klaßen: *(sorgenvoll)* Zum Zoll?

Angestellter: Ja, natürlich, Sie gehen zuerst zum Zoll mit Ihren Papieren und mit den Kisten. Ich kann sie nicht ohne Genehmigung annehmen.

Klaßen: Ja, ja ich verstehe, aber sehen Sie. . .es ist so. . .das ist unmöglich. Ich habe die Kisten dort im Jeep und das Zollamt ist geschlossen.

Angestellter: Ja, das ist um diese Zeit geschlossen.

Klaßen: Verstehen Sie doch, ich kann nicht warten. Können Sie die Kisten nicht sofort nehmen und morgen verladen Sie sie in das Flugzeug.

Angestellter: Aber mein Herr, ich sage Ihnen doch. Sie brauchen die Genehmigung des Zolls.

Klaßen: Ja, ich weiß, ich will das auch. Aber das Zollamt ist geschlossen. Ich kann nicht warten. Ich verlasse heute abend Merida. Ich will die Kisten sofort senden. Was soll ich tun? Können Sie mir helfen?

Angestellter: Ich will Ihnen gerne helfen, mein Herr, aber ich kann die Kisten nicht ohne Genehmigung des Zolls nehmen. Wenn ich das tue, verliere ich meine Stelle.

Klaßen: Und ich sage Ihnen: das Zollamt ist geschlossen. Was soll ich tun? Sie müssen mir helfen.

Angestellter: Ich will sehen, was ich tun kann.

Klaßen: Das ist sehr freundlich, vielen Dank.

Angestellter: Ich will auf das Zollamt gehen. Ich will sehen, ob noch jemand dort ist. Jemand, der die Kisten prüfen kann und die Papiere unterschreibt.

Klaßen: Welche Papiere?

Angestellter: Die Zollpapiere. Sie müssen die Papiere ausfüllen. Hier, sehen Sie, Sie geben eine Zollerklärung, Sie schreiben auf, was in den Kisten ist. Und Sie unterschreiben.

Klaßen: Aha, ich sehe...

Angestellter: Gut, Sie füllen die Zollerklärung aus, und ich gehe währenddessen zum Zollamt. Ich will sehen, was ich für Sie tun kann.

Klaßen: Das ist sehr freundlich von Ihnen, wirklich. Ich danke Ihnen vielmals.

Angestellter: Keine Ursache, mein Herr, keine Ursache.

Klaßen ist verstört. Was soll er tun? er muß die Zollerklärung ausfüllen.

Auf der Straße nahe der Grenze gehen Brigitte und Bernd. Sie sind gerannt. Der Wachtmeister ist nun weg, sie können sich ausruhen.

Bernd: So ein Hund!

Brigitte: Jedenfalls sind wir frei, das ist gut. Und sie haben nichts in unserem Flugzeug gefunden.

Bernd: Ja, aber wo sind denn die Kisten? Stimmt das auch? Glaubst du, er hat die Wahrheit gesagt?

Brigitte: Für hundert Dollar...?

Bernd: Es geht nicht um die hundert Dollar. Ist das Flugzeug wirklich leer so wie er sagt? Oder ist das eine Lüge? Bei diesem Kerl ist alles möglich.

Brigitte: Was tun wir nun?

Bernd: Wir müssen das Flugzeug wiederfinden und nachsehen.

Brigitte: Ich glaube, wir müssen zuerst ein Dorf und ein Telefon finden und Herbert anrufen.

Bernd: Und was wirst du ihm sagen?

Brigitte: Die Wahrheit natürlich.

Bernd: Und die Kisten? Wir müssen wissen, ob die Kisten noch im Flugzeug sind. Herbert wird nach den Kisten fragen und was antwortest du?

Brigitte: Du hast recht. Wir müssen das wissen. Wir müssen zuerst das Flugzeug finden.

Bernd: Ja, wir müssen es finden, und zwar schnell. Dann können wir anrufen.

Brigitte: Und Gutes oder Schlechtes berichten.

Bernd: Ja. . . .Kommst du?

Brigitte: Ja, ich folge dir.

Bernd: Wir müssen unseren Weg wiederfinden. . .

Brigitte: Ich glaube, wir müssen dort nach links gehen. Der Wachtmeister hat gesagt: „hinter den großen Bäumen."

Bernd: Och, was der schon sagt.

Brigitte: Wirklich, ich glaube, es ist dort. Wir können es in jedem Fall versuchen.

Bernd und Brigitte verlassen die Straße. Sie müssen das Flugzeug wiederfinden und vielleicht die Kisten mit den Masken und Figuren. Das ist das erste, was sie tun müssen.

Auf dem Flughafen von Merida wartet Klaßen am Schalter der Fluggesellschaft. Er hat seine Zollerklärung ausgefüllt. Er wartet auf die Rückkehr des Angestellten. Dieser kommt auch bald.

Angestellter: Also, mein Herr, haben Sie Ihre Zollerklärung ausgefüllt?

Klaßen: Ja, ich bin fertig. Haben Sie jemand auf dem Zollamt gefunden?

Angestellter: Ja, ich habe jemand gefunden. Ich habe ihm Ihre Lage geschildert. Ich glaube, alles geht nun in Ordnung.

Klaßen: Gut, ich warte.

Angestellter: Natürlich wird er Ihre Zollerklärung nachprüfen. Aber ich denke, das geht mit ein bißchen. . .ich meine. . .Sie verstehen mich schon, nicht wahr?

Klaßen sieht den Angestellten an. Er versteht überhaupt nichts.

Klaßen: Ein bißchen. . .ein bißchen was?

Angestellter: Also Sie füllen Ihre Zollerklärung aus. Und dann. . .

Klaßen: Aber ich habe sie doch schon ausgefüllt. . .

Angestellter: Und dann müssen Sie. . .puh. . .wie soll ich das sagen? *(Er macht eine bestimmte Geste)*

Klaßen: Ja?

Angestellter: Ich meine, das ist Ihre Angelegenheit. Das kann etwas kosten.

Klaßen: Ah, ich verstehe. Aber natürlich. Wenn es etwas kostet, bezahle ich.

Der Angestellte betrachtet Klaßen. Er ist nicht sicher, ob er ihn verstanden hat. Aber das ist seine Angelegenheit.

Bei Herbert Hartmann. Er sitzt neben dem Telefon.

Herbert: Weber. . .Weber, welche Telefonnummer hat er denn? Er ruft ja immer nur an. Also, ich kenne seine Telefonnummer nicht.

Ute: Du rufst Weber an?

Herbert: Ja, ich habe es versprochen.

Ute: Du willst ihm die unechten Stücke anbieten?

Herbert: Ja!

Ute: Unechte Stücke verkaufen. An einen Mann wie Weber. Du bist verrückt.

Herbert: Ich habe keine andere Wahl. Ich habe mich entschieden, also. . .

Ute: Und ich sage dir; mit so einem Mann riskierst du viel.

Herbert: Na und? Hast du eine bessere Idee?

Ute: Ja, laß das ganze Geschäft fallen.

Herbert: Wie das?

Ute: Du sagst Weber die Wahrheit. Du hast keine Nachrichten. Er muß warten.

Herbert: Aber Ute, *du* bist verrückt. Er will sofort sein Geld zurückhaben. Ich sagte dir doch, und ich wiederhole, ich habe mich entschieden, und das ist meine Angelegenheit.

Ute: Wenn das so ist, rufe ihn doch an!

Herbert: Danke. . .Hallo, mein lieber Freund. Herbert Hartmann am Apparat. Hören Sie. Ich habe gute Nachrichten für Sie, sehr gute sogar. Ich habe die erste Kiste bekommen, ich habe sie gerade geöffnet und. . .Wirklich einzigartig. Leider sind noch keine Masken dabei. Im Moment habe ich nur die Figuren, sie sind sehr, sehr schön. Es sind wundervolle Stücke, Sammlerstücke. . .Also, mein lieber Freund, was ist?. . . Wollen Sie immer noch?. . .Ja?. . .Na gut, einverstanden. Ich habe sie bei mir zu Hause. . . Sie können sie jederzeit abholen. . .Ja, ja aber kommen Sie sofort und. . .natürlich müssen Sie mir das Geld mitbringen. Auf Wiederhören, mein lieber Freund.

Fragen

1. Warum freut sich der Wachtmeister, nachdem er Brigitte und Bernd freigelassen hat?
2. Schickt der Professor die Kisten mit dem Schiff nach Hamburg?
3. Was muß man tun, wenn man Kisten von Mexiko nach Deutschland schicken will?
4. Warum kann Professor Klaßen nicht auf das Zollamt gehen?
5. Können Brigitte und Bernd Gutes oder Schlechtes berichten, wenn sie Herbert Hartmann anrufen?
6. Wie kann Professor Klaßen das Prüfen der Kisten verhindern?
7. Warum kennt Herbert Hartmann nicht die Telefonnummer von Leopold Weber?
8. Ist wirklich eine Kiste mit Figuren aus Yucatan in Hamburg angekommen?
9. Sind die Figuren echt, die Weber bekommen soll?
10. Welchen Rat gibt Ute Hartmann ihrem Mann, bevor er Leopold Weber die unechten Figuren verkauft?

ADUANA
SALIDA ↑

11 Alles geht schief

Bernd und Brigitte sind lange gelaufen. Endlich finden sie das Flugzeug. Jetzt werden sie sehen, ob der Wachtmeister die Wahrheit gesagt hat. Ist das Flugzeug leer?

Bernd: Brigitte, komm mal her!

Brigitte: Was ist denn?

Bernd: Die Kisten. . .

Brigitte: Hast du sie gefunden?

Bernd: Nein, jemand hat sie mitgenommen.

Brigitte: Das wundert mich nicht.

Bernd: Der Wachtmeister hat also die Wahrheit gesagt, für hundert Dollar. Der Hund. Aber wer, wer hat sie nur weggenommen?

Brigitte: Haben sie nur die Kisten genommen?

Bernd: Ich werde mal nachsehen.

Er untersucht das Flugzeug.

Bernd: Ja, ich glaube sonst fehlt nichts.

Brigitte: Und der Revolver? Nach dem Unfall haben wir ihn nicht genommen. Ist er noch da?

Bernd: Nein, nicht hinter dem Sitz. Mal sehen. . .

Brigitte: Hast du ihn?

Bernd: Ja, hier ist er.

Er steigt wieder aus dem Flugzeug.

Bernd: Wer ist gekommen? Wer hat die Kisten genommen? Ich muß das wissen.

Brigitte: Das war jemand, der nicht alles durchsucht hat; denn der Revolver ist noch da. Ich sehe zwei Möglichkeiten. Entweder es war die Polizei oder Militär. . . .

Bernd: Oder. . .?

Brigitte: Klaßen natürlich. Ich glaube, er war es. Hier, sieh doch, die Reifenspuren. Das war ein Jeep.

Bernd: Vielleicht, aber Militär und Polizei fahren auch Jeeps.

Brigitte: Und ich sage dir, das war Klaßens Jeep.

Bernd: Vielleicht, aber das ist nicht sicher. Wenn es die Polizei war, ist es gefährlich für uns, in der Nähe des Flugzeugs zu bleiben. Wir müssen sofort hier weg. Komm!

Brigitte: Und wenn Klaßen gekommen ist und die Kisten genommen hat, müssen wir auch weg. Wir müssen ihn finden.

Bernd: Ich hoffe, er war es, dann haben wir noch eine Chance.

Brigitte: Ich bin sicher, er war es. Wir müssen ihn finden, ihn und die Kisten.

Bernd: Glaubst du, er ist nach Merida gefahren?

Brigitte: Ganz sicher! Wir müssen nach Merida gehen und ihn überall suchen. Und Herbert wartet auch. Ich muß Herbert von Merida aus anrufen. Von dort aus ist es einfach.

Bernd: Er ist sicher sehr beunruhigt ohne Nachricht.

Brigitte: Also, gehen wir zurück zur Straße. Dann fahren wir per Anhalter.

Bernd und Brigitte gehen zu Fuß bis zur Straße. Sie warten auf ein Auto, einen Lastwagen, einen Autobus vielleicht. Sie warten eine gute halbe Stunde. Ohne Erfolg.

Bernd: Willst du nicht ein bißchen weitergehen?

Brigitte: Zu Fuß nach Merida gehen?

Bernd: Natürlich nicht bis Merida, aber ein kleines Stück. Wir können hier nicht stundenlang warten.

Brigitte: Ich warte, mein Knie schmerzt.

Bernd: Schmerzt es sehr?

Brigitte: Nein, aber ich kann nicht kilometerweit zu Fuß gehen.

Bernd: Also warten wir.

Sie warten am Straßenrand, an einer Straße, wo nur selten ein Auto fährt.

Auf dem Flughafen in Merida wartet auch jemand. Es ist Professor Klaßen. Er wartet auf den Zollbeamten. Kunstgegenstände auszuführen ist nicht so einfach. Man kann es versuchen, es ist riskant, es ist die einzige Möglichkeit. Endlich kommt der Zollbeamte.

Zollbeamter: Also Sie sind es. Sie wollen mich sprechen?

Klaßen: Jawohl. Wie Sie sehen, ich habe meine Zollerklärung ausgefüllt und ich hoffe, daß...

Zollbeamter: Na gut, ich werde die Kisten prüfen. Drei Kisten...hm... Sie wollen sie ausführen?

Klaßen: Ja, nach Deutschland.

Zollbeamter: Was ist in den Kisten?

Klaßen: Also. . .das ist. . .Sehen Sie es nicht? Ich habe es doch auf die Zollerklärung geschrieben. Hier, sehen Sie, hier.

Zollbeamter: Kunstgegenstände. Was heißt das?

Klaßen: Das ist doch klar. . .Dinge, Stücke, die Künstler gemacht haben. Sie kennen doch Kunsthandwerk. Die traditionelle Arbeit der Künstler in Ihren Dörfern.

Der Zollbeamte sieht Klaßen mit ruhigem Blick an. Klaßen ist beunruhigt und erklärt es noch einmal.

Klaßen: Wissen Sie, in meinem Land, bei uns in Deutschland, wir bewundern die Arbeiten Ihrer Künstler.

Zollbeamter: Was zum Beispiel?

Klaßen: Alles. Töpferware zum Beispiel, Vasen, Schüsseln, Teller, all diese Sachen.

Zollbeamter: Aha, ich sehe. Und was kostet all das?

Klaßen: Oh, das ist nicht teuer. Ich habe die Sachen auf den Dorfmärkten gekauft. Sie waren nicht teuer.

Zollbeamter: Vielleicht, aber Sie müssen das auf Ihre Zollerklärung schreiben.

Klaßen: Oh. . .das habe ich vergessen. Warten Sie. . .hm. . .ich habe bezahlt. . .Ja, das war etwa soviel. *(er schreibt einige Zahlen)* Genügt das?

Zollbeamter: Ja, ich denke, das ist in Ordnung, aber. . .

Der Zollbeamte sieht Klaßen wieder an, sehr lange. Klaßen ist nervös, unruhig.

Klaßen: Ja?

Zollbeamter: Da sind noch die Gebühren. Sie müssen Gebühren bezahlen.

Klaßen: Welche Gebühren? Ist das teuer?

Zollbeamter: Sie müssen die Zollgebühren und die Versandgebühren bezahlen.

Klaßen holt einen Geldschein aus seiner Tasche.

Klaßen: Ist das genug?

Der Zollbeamte sieht ihn weiterhin an.

Zollbeamter: Ich weiß nicht. Ich werde mal nachsehen. Entschuldigen Sie mich bitte einen Moment, mein Herr. Ich werde in meinem Büro nachsehen. Warten Sie hier. Ich bin in zwei Minuten zurück.

Klaßen: Wie Sie wollen. . .

Zollbeamter: Sie gehen nicht fort, nicht wahr, Sie warten hier?

Klaßen: Ja, ja, ich warte. Danke.

Der Zollbeamte läßt ihn allein. Klaßen ist sehr besorgt. Der Zollbeamte hat sein Geld nicht genommen. Er ist weggegangen. Er ist in sein Büro gegangen. Warum? Was macht er dort? Was will er dort? Er weiß es nicht. Er muß warten...

Nicht weit, in Merida, im Stadtzentrum seht ihr Brigitte und Bernd, die endlich angekommen sind. Ein Lastwagen hat sie mitgenommen und hierher gebracht. Sie gehen sofort zum Hotel, zum Hotel Tropicana, wo sie Klaßen treffen wollen. Sie gehen hinein und gehen zum Empfangsbüro.

Bernd: Guten Tag.

Empfangsdame: Guten Tag, mein Herr. Guten Tag, gnädige Frau... Sie wünschen?

Bernd: Wohnt bei Ihnen ein Herr Professor Klaßen?

Empfangsdame: Einen Moment bitte. Ich glaube nicht. Ich sehe mal nach ...Ich weiß, daß er ein Zimmer bestellt hat aber...Nein, nein. Er ist noch nicht angekommen.

Bernd: Sind Sie sicher?

Empfangsdame: Ja, ganz sicher.

Brigitte: Ist er auch nicht hier gewesen?

Empfangsdame: Nein, gnädige Frau.

Brigitte: Haben Sie auch keine Nachricht für uns?

Bernd: Eine Nachricht für Herrn Schulz oder Fräulein Jacobs?

Empfangsdame: Ach ja, ich erkenne Sie nun. Sie sind vor etwa zehn oder zwölf Tagen hiergewesen, nicht wahr? Mit Professor Klaßen.

Brigitte: Ja, genau. Und Sie haben für uns und Professor Klaßen Zimmer reserviert.

Empfangsdame: Ja, und Sie haben Ihr Gepäck hiergelassen, glaube ich.

Bernd: Ja, wir haben drei Koffer hier.

Empfangsdame: Wollen Sie Ihre Zimmer für heute abend?

Brigitte: Ja, was meinst du, Bernd?

Bernd: Ja, ich glaube ja.

Empfangsdame: Soll ich Ihr Gepäck hinaufbringen?

Bernd: Nein, warten Sie. Sie sagten, Professor Klaßen ist noch nicht angekommen? Hat er keine Nachricht hinterlassen? Hat er nicht angerufen?

Empfangsdame: Nein, mein Herr.

Bernd: Können Sie bitte unser Gepäck aufbewahren, wir kommen bald zurück.

Empfangsdame: Natürlich, mein Herr.

Bernd und Brigitte verlassen das Hotel und gehen zu dem Marktplatz der Stadt. Dort seht ihr die Kirche, ein Museum, Geschäfte, Cafés. Sie gehen zu einem der Cafés und setzen sich draußen an einen Tisch.

Bernd: Wo ist also dieser. . .dieser. . .Professor Klaßen?

Brigitte: Oh, der regt mich auf.

Bernd: Vielleicht hat die Polizei ihn festgenommen?

Brigitte: Oder er ist mit den Kisten verschwunden.

Bernd: Jedenfalls müssen wir ihn finden. Ich nehme an, du rufst nun Herbert an?

Brigitte: Ja, ich muß. Aber was sage ich ihm?

Bernd: Ich denke an Klaßen. Wenn er mit den Kisten verschwunden ist, muß er noch hier sein. Vielleicht hatte er einen Unfall, oder die Polizei hat ihn festgenommen.

Ein Zeitungsverkäufer kommt vorbei. Bernd gibt ihm ein Zeichen. Er kauft eine Zeitung.

Bernd: Wer weiß? Vielleicht steht etwas in der Zeitung. Wenn die Polizei die Kisten gefunden hat, wenn sie sie aus dem Flugzeug genommen hat, dann hat sie ihn sicher auf der Straße festgenommen. Oder wenn er einen Unfall hatte, dann steht es sicher in der Zeitung.

Brigitte: Du hast recht. Ein Ausländer, der einen Autounfall hatte oder festgenommen wurde, das muß in der Zeitung stehen.

Bernd: Das glaube ich auch.

Er schlägt die Zeitung auf, blättert, liest die Überschriften. Er liest von einigen Autounfällen, aber es sind alles keine Jeeps. Auch von Professor Klaßen liest er nichts.

Bernd: Vielleicht stand gestern was in der Zeitung.

Brigitte: Also ich glaube nicht. Ich habe das schon gesagt. Klaßen hat die Kisten genommen und ist verschwunden.

Bernd: Ja, aber wo ist er?

Brigitte: Du hast es selbst gesagt, hier in der Stadt. Ich glaube, du hast recht. Er versucht sicher, die Kisten mit den Figuren zu verkaufen. Oder er schickt sie per Schiff oder Flugzeug. Wir müssen ihn finden.

Bernd: Ja gut. Aber das kann lange dauern. Meinst du nicht, wir wollen zuerst Herbert anrufen?

Brigitte: Ja, das ist wichtig.

Sie bezahlen und gehen zur Post. Dort melden sie ein Ferngespräch nach Hamburg an.

Telefonistin: Für Hamburg? Sie müssen leider warten.

Brigitte: Wie lange?

Telefonistin: Ich weiß es nicht. Zwei, drei Stunden vielleicht.

Bernd: Und ein Notanruf? Kann man da sofort anrufen?

Telefonistin: Ja, das ist möglich. Wenn Sie wollen, kann ich Sie sofort verbinden. Ein Notanruf kostet das Doppelte.

Brigitte: Ja, wir sind einverstanden.

Bernd: Was wirst du Herbert sagen?

Brigitte: Die Wahrheit natürlich.

Bernd: Er wird nicht besonders zufrieden sein.

Brigitte: Glaubst du *ich*? Bist du etwa zufrieden? Aber ich muß ihm die Wahrheit sagen, das ist alles.

Sie warten ein paar Minuten. Die Telefonzelle ist in der Nähe eines großen Fensters. Sie sehen aus dem Fenster und warten. Endlich ruft die Telefonistin. Brigitte geht in die Telefonzelle und nimmt den Hörer ab. Bernd wartet außerhalb der Telefonzelle.

Telefonistin: *(ungeduldig)* Sie haben Hamburg! Bitte sprechen Sie.

Herbert: Herbert Hartmann am Apparat.

Brigitte: Herbert?

Herbert: Wie? Bist du es Brigitte?

Brigitte: Ja, ich bin's. Höre, Herbert. . .

Herbert: Aber wo seid ihr? Was ist passiert? Ich warte seit fünf oder sechs Tagen auf eueren Anruf.

Brigitte: Wir konnten nicht anrufen. Wir hatten einen Unfall mit dem Flugzeug.

Herbert: Ich hoffe, ihr seid nicht verletzt. Und die Figuren, die Masken?

Brigitte: Also hör zu, Herbert. Nach dem Unfall hat man uns festgenommen. Bernd und mich. Wir waren zwei Tage im Gefängnis und. . .

Herbert: Und Klaßen, wo ist er? Ist er bei euch?

Brigitte: Nein, das ist es ja. Ich bin sehr beunruhigt. Ich bin nicht sicher. Aber ich glaube, Klaßen hat die Kisten aus dem Flugzeug genommen nach unserem Unfall, verstehst du?

Herbert: So ein Schuft. Das wundert mich nicht. Und. . .nun verstehe ich auch alles. Hör zu, jemand hat Weber angeru-

	fen und ihm Figuren angeboten. Das war sicher Klaßen. Wir müssen ihn finden, ihn und die Kisten.
Brigitte:	Ich habe das auch zu Bernd gesagt, Klaßen hat die Kisten.
Herbert:	Ja, er hat sie bestimmt. Hör gut zu. Du gehst...
Brigitte:	Einen Moment, bitte. Ich sehe, Bernd ruft mich. Warte eine Sekunde.
	Ja, Bernd ruft Brigitte. Er winkt wie wild und gibt ihr Zeichen, sofort zu kommen.
Brigitte:	Aber was gibt's?
Bernd:	Klaßen! Er ging gerade hier vorbei. Ich habe ihn in der Straße gesehen. Komm schnell!
Brigitte:	*(nimmt wieder den Hörer)* Herbert, höre, Neuigkeiten, Klaßen ging gerade an der Post vorbei. Ich rufe zurück.
Herbert:	Hallo! Hallo, Brigitte.. .Hallo!

Fragen

1. Hat Professor Klaßen das ganze Flugzeug durchsucht?
2. Warum finden Bernd und Brigitte nicht sofort ein Auto, das sie nach Merida mitnimmt?
3. Kann man einfach Kunstgegenstände aus Mexiko ausführen?
4. Schreibt Professor Klaßen „Mayafiguren" auf die Zollerklärung?
5. Welche Gebühren soll der Professor beim Zoll bezahlen?
6. Hat Professor Klaßen dem Zollbeamten genug Geld angeboten?
7. Wohin gehen Bernd und Brigitte zuerst, als sie in Merida ankommen?
8. Können Sie den Marktplatz von Merida beschreiben?
9. Warum kauft Bernd in Merida eine Zeitung?
10. Wann braucht man nicht auf ein Auslandsgespräch zu warten?
11. Wie lange wartet Herbert Hartmann nun auf einen Anruf von Brigitte?
12. War es wichtig, als Bernd Brigitte aus der Telefonzelle ruft?

BARBER

12 Das schwarze Auto

Bei Herbert Hartmann. Er ist immer noch am Telefon. Er ist sehr wütend. Er denkt, es war ein Irrtum, jemand hat versehentlich die Leitung unterbrochen. Er versucht erneut Brigitte zu erreichen. Die Telefonistin sagt ihm, daß das Gespräch beendet ist.

Telefonistin: Nein, mein Herr. Ihr Anrufer hat aufgehängt.
Herbert: Und ich sage Ihnen, nein!
Telefonistin: Mein Herr, die Person, die Sie anrief, hat aufgehängt.
Herbert: Das ist unglaublich! . . . Hallo, ja, bist du es Brigitte?
Weber: Leopold Weber am Apparat.
Herbert: Ah, Sie sind es. Hören Sie. . .
Weber: Ich will Sie sofort sehen. Es ist sehr wichtig.
Herbert: Nein, ich bedaure sehr. Das ist unmöglich. Und ich kann jetzt nicht mit Ihnen telefonieren. Ich erwarte einen wichtigen Anruf.
Weber: Ich sage Ihnen doch. . .
Herbert: Und ich sage Ihnen *auf Wiederhören.*
Er ist wild vor Wut.

Gleichzeitig verlassen in Merida Brigitte und Bernd eilig die Post. Sie müssen Professor Klaßen wiedersehen.

Brigitte: Bist du sicher, es war Klaßen?
Bernd: Ich sage dir doch, ich habe ihn gesehen, dort auf der Straße vor der Post, vor dem Fenster.
Brigitte: Ich hoffe, er hat dich nicht gesehen?
Bernd: Nein, bestimmt nicht, Er ist an der Post vorbeigegangen. Ich sah ihn, und im selben Moment hat er seine Zeitung aufgeschlagen und darin gelesen.
Brigitte: Vielleicht sah er dich und wollte sich verstecken?
Bernd: Nein, ich bin da ganz sicher.
Brigitte: Jedenfalls müssen wir ihn sofort finden. Wohin ist er gegangen?
Bernd: Hierher. Er ist in diese Straße gegangen.
Brigitte: Wie können wir ihn nur finden bei den vielen Leuten hier?
Bernd: Vielleicht ist er in ein Geschäft oder in ein Café gegangen. Wir gehen die Straße entlang und schauen in jedes Geschäft, Café, überall.

Brigitte: Gut. Du übernimmst die linke Straßenseite und ich die rechte.

Bernd: Einverstanden. Sag mal, was hast du Herbert gesagt? Konntest du ihm unseren Unfall erklären und auch das Verschwinden von Klaßen und den Kisten?

Brigitte: Ja, ich hatte genug Zeit; und er, er hat mir etwas Unglaubliches gesagt. Er hat gesagt. . .Sieh doch, da ist er! Nein das war ein Irrtum.

Bernd: Ja, also was hat Herbert gesagt?

Brigitte: Jemand hat Weber angerufen und ihm Figuren angeboten.

Bernd: Das ist unglaublich. Das war sicher Klaßen.

Brigitte: Na klar, das war Klaßen. Ich habe das schon hundertmal gesagt. Nun müssen wir die Augen aufhalten.

Bernd: Wenn ich ihn finde, kann er was erleben.

Sie suchen weiter in den Straßen, Cafés und Geschäften nach Klaßen. Sie schauen nach rechts, nach links. . .Plötzlich ruft Bernd Brigitte mit leiser Stimme.

Bernd: He, Brigitte!

Brigitte: Ja, siehst du ihn?

Bernd: Nein, aber. . .Etwas stimmt nicht. Geh weiter, sieh vor dich, aber hinter uns, gleich hinter uns ist ein Auto.

Brigitte: Na und?

Bernd: Das Auto folgt uns.

Brigitte: Bist du sicher?

Bernd: Ja, es folgt uns, das ist sicher. Es rollt sehr langsam. Es folgt uns, sage ich dir.

Brigitte: Glaubst du, das ist die Polizei?

Bernd: Möglich. Ich will mich nicht umsehen. Ich glaube, da ist nur ein Mann in dem Auto.

Brigitte: Wir haben doch nichts getan. Wir haben nicht einmal die Kisten, nichts.

Bernd: Ich mag das Auto nicht, das uns sicher folgt. . .Und wenn Klaßen uns bei der Polizei angezeigt hat?. . .

Brigitte: Ich habe eine Idee. Wir müssen erfahren, ob das Auto *uns* folgt. Siehst du das Geschäft dort drüben?

Bernd: Mit den Jeans und den Hemden?

Brigitte: Ja, wir sehen uns das Schaufenster an. Wenn das Auto dann anhält. . .

Bernd: Gute Idee!

Brigitte: . . .Jetzt.

Sie bleiben stehen– das Auto fährt weiter. Es rollt weiterhin sehr langsam, aber es fährt weiter.

Bernd: Gut. Das ist nicht für uns. Es folgt nicht uns, aber ich weiß nicht. . .warum rollt es so langsam?

Brigitte: Jedenfalls ist das nicht um nach Mädchen auszuschauen.

Bernd: Hast du den Mann im Auto gesehen?

Brigitte: Ja.

Bernd: Ich habe nicht aufgepaßt. Ich habe ihn nicht genau gesehen, nicht besonders genau meine ich.

Brigitte: Ich habe ihn genau gesehen.

Bernd: War es ein *Bulle*?

Brigitte: Ich weiß nicht. . .Aber. . .! Und wenn es Klaßen folgt?

Bernd: Du hast recht. Das kann stimmen.

Brigitte: Wir müssen die Augen aufhalten.

Sie suchen weiter nach Klaßen.

Im Flughafen. Im Büro der Fluggesellschaft Lufthansa. . .

Stewardeß: Hallo, Deutsche Lufthansa, Platzreservierungen, guten Tag . . .Wie bitte?. . .Ja, aber wissen Sie. . .ich kann das nicht genau sagen. . .Entschuldigen Sie bitte, das kann ich nicht . . .Wer?. . .Wer sind Sie denn?. . .Aha, ich verstehe. . .Ja, ja, das ist etwas anderes. . .Welchen Flug sagen Sie?. . .Morgen nach Hamburg. . .Ja, das ist Flug 852. . .Wer?. . .Können Sie den Namen des Passagiers wiederholen?. . .Bitte?... Klaßen. . .Einen Moment bitte. . .Ich werde fragen. Bleiben Sie am Apparat. *(ruft)* Erich?

Erich: Ja, was gibt's?

Stewardeß: Gib mir bitte die Passagierliste für den Flug 852 morgen früh. . .

Erich: Ja, na und. Was willst du wissen?

Stewardeß: Ich möchte den Namen eines Passagiers prüfen.

Erich: Wie heißt er?

Stewardeß: Klaßen.

Erich: Klaßen? Das sagt mir was. . .Eh ja, das ist der Alte, der mit den Kisten gekommen ist. Ich glaube, er ist nicht auf der Passagierliste für morgen.

Stewardeß: Sieh doch bitte nach.

Erich: Einen Moment. . .

Stewardeß: Bleiben Sie am Apparat, mein Herr. Wir prüfen die Liste. Ich gebe Ihnen gleich Bescheid.

Erich: Ich habe ihn gefunden. Klaßen, Thomas. Passagier nach Hamburg, Flug 852 morgen früh.

Stewardeß: Danke. Hallo?. . .Ja, das stimmt. Wir haben einen Passagier namens Klaßen, Thomas Klaßen. . .Jawohl. . .er hat einen Flug nach Hamburg gebucht. Flug 852 morgen früh um zehn Uhr vierzig. Die Passagiere müssen eine Stunde vor dem Abflug auf dem Flughafen sein. Das ist vertraulich. . . ich verstehe. . .Ja, auf Wiederhören.

In den Straßen des Stadtzentrums suchen Bernd und Brigitte weiter nach ihrem Reisegefährten, nach dem, der sie betrogen hat, nach Professor Klaßen.

Brigitte: Wo ist er nur hingegangen?

Bernd: Das frage ich mich auch. Wir haben überall gut aufgepaßt.

Brigitte: Vielleicht hat er ein Taxi genommen?

Bernd: Hast du ein Taxi gesehen? Ich nicht.

Brigitte: Vielleicht ist er in ein Geschäft oder in ein Café gegangen.

Bernd: Vielleicht, aber wir haben überall aufgepaßt. Wir dürfen jetzt nicht aufgeben. Ich will den Schuft finden.

Brigitte: Ja, wir müssen! Denn jetzt ist es sicher. Er hat die Kisten mitgenommen. Jemand hat Weber in Hamburg angerufen und ihm Figuren aus Yucatan angeboten. Das ist er, er allein hat angerufen. Und jetzt läuft er hier herum, das Glück in der Tasche.

Bernd: Du redest und redest. . .Öffne lieber die Augen und finde Klaßen. Wir müssen uns beeilen.

Brigitte: Mir ist es recht. Aber paß auch du auf.

Sie gehen in Geschäfte, Cafés, links und rechts der Straße. Nichts.

Brigitte: Und das Auto?

Bernd: Das Polizeiauto?

Brigitte: Das Auto, das wir vorhin gesehen haben.

Bernd: Ich sehe es nicht. . .Doch, da, vor uns siehst du es?

Bernd: Da! Jetzt hält es an.

Brigitte: Das ist sicher ein Polizist. Er folgt Klaßen. Er hat ihn sicher gefunden.

Bernd: Möglich. Klaßen ist sicher hier irgendwo.

Bernd und Brigitte gehen noch ein paar Schritte. Plötzlich bleiben sie vor einem Frisörladen stehen.

Brigitte: Da ist er ja! Siehst du ihn?

Bernd: Ja, paß auf! Er sieht uns sonst. Komm hierher!

Sie verstecken sich neben der Ladentür. Klaßen hat sie nicht gesehen. Er sitzt auf einem Stuhl, den Kopf nach hinten. Er hat ein Handtuch um den Hals. Sein Gesicht ist ganz weiß. Er hat Seife auf den Wangen, dem Kinn und dem Hals. Der Frisör rasiert ihn.

Brigitte: Was machen wir nun? Warten? Hier draußen auf ihn warten?

Bernd: Nein, wenn wir hier warten, kann er uns entkommen. Vielleicht gibt es einen anderen Ausgang am Ende des Ladens, wer weiß? Nein, ich gehe in den Laden. Ich werde mich setzen, so daß Klaßen mich sehen kann. Er kann mich dann sicher in seinem Spiegel sehen.

Brigitte: Sehr gut. Und beobachte genau sein Gesicht, besonders seine Augen, wenn er dich sieht. Beobachte seine Reaktion. Wir müssen erfahren, ob er Angst hat. Wir müssen erfahren, ob er sich vor uns versteckt.

Bernd: Ja, und ob er weglaufen will.

Brigitte: Von dort weglaufen? Und wie? Mit Seife im Gesicht und dem Rasiermesser unter der Nase? Du kannst dich beruhigen. Er ist wie ein Gefangener hier.

Bernd: Ja, du hast recht. Nun ist alles in Ordnung. Wir haben ihn. Hör zu, du bleibst hier. Du wartest hier auf mich. Ich gehe in den Laden. Ich setze mich hin. Ich kann dann gut Klaßens Reaktion beobachten.

Brigitte: Und wenn der Frisör dich rasieren will?

Bernd: Dann sage ich, ich warte auf einen Freund. Und außerdem, sieh doch hin, er kann mich nicht rasieren. Da sind noch viele Leute, die warten. Gut ich gehe nun.

Brigitte: Eine Sekunde. Ich bleibe hier neben der Ladentür. Wenn Klaßen weglaufen will, stelle ich ihm ein Bein, dann fällt er auf den Bürgersteig.

Bernd: Na gut. Aber ich bin sicher. Wir haben ihn nun.

Bernd geht in den Frisörladen. Da sitzen noch einige Leute, die warten. Bernd setzt sich hin. Ein Lehrling kommt auf ihn zu.

Lehrling: Entschuldigen Sie, mein Herr. Sie müssen einen Moment warten.

Bernd: Oh ja, ich habe Zeit.

Lehrling: Ein paar Minuten nur, dann stehe ich zu Ihren Diensten.
Bernd: Ausgezeichnet. Danke.

Klaßen ist immer noch auf seinem Stuhl, den Kopf nach hinten, die Augen zur Decke gerichtet. Der Frisör rasiert ihn. Bernd wartet darauf, das Gesicht und die Augen von Klaßen im Spiegel zu sehen. Aber draußen stimmt etwas nicht. Brigitte kommt außen vor die Ladentür. Sie will Bernd rufen. Sie gibt ihm Zeichen. Sie will ihn auf sich aufmerksam machen, aber wie? Bernd schaut immer nur in den Spiegel. Er sieht Brigitte nicht, die ihm erfolglos winkt. Endlich dreht Bernd den Kopf. Er sieht Brigitte. Sie winkt „Komm, komm. . .komm schnell heraus!" Bernd versteht nicht, warum, er weiß nicht, was sie von ihm will; aber Brigitte besteht darauf, daß er kommen soll. Also steht Bernd auf und geht schnell aus dem Frisörladen.

Bernd: Was ist los?
Brigitte: Schnell hierher! Hör zu. Dort drinnen ist. . .
Bernd: Na was denn?
Brigitte: Hast du ihn nicht gesehen?
Bernd: Wen?
Brigitte: Den Mann aus dem Auto.
Bernd: Was? Der Mann aus dem Auto, der uns gefolgt ist? Ich meine, der Mann, der. . .
Brigitte: Ja, er ist in dem Frisörladen. Er sitzt auf dem Stuhl dort. Das ist sicher ein Polizist. Er sitzt hinten im Laden. Ich habe ihn genau beobachtet. Er überwacht Klaßen.

Fragen

1. Wo hat Bernd den Professor gesehen?
2. Wer hat die Stewardeß angerufen?
3. Wann will Klaßen nach Hamburg fliegen?
4. Wissen Sie, wen man in Deutschland *die Bullen* nennt?
5. Wie lange muß man vor einem Flug am Flughafen sein?
6. Wo suchen Bernd und Brigitte nach dem Professor?
7. Geht Bernd zum Haareschneiden in den Frisörladen?
8. Wie will Brigitte dem Professor festhalten, wenn er weglaufen will?
9. Wer ist außer dem Frisör und Bernd noch in dem Frisörladen?
10. Warum konnte Professor Klaßen Bernd nicht in seinem Spiegel sehen?
11. Warum hat Bernd den Mann aus dem Auto nicht erkannt?

13 Die Verfolgung

Bernd verläßt schnell den Frisörladen. Brigitte hat ihm gewunken. Sie hat ihn gerufen. Er weiß nicht warum. Nun erklärt sie ihm, was los ist.

Brigitte: Hast du ihn nicht gesehen?
Bernd: Wen?
Brigitte: Den Mann aus dem Auto.
Bernd: Was? Der Mann aus dem Auto, der uns gefolgt ist? Ich meine, der Mann, der. . .
Brigitte: Ja, er ist in dem Frisörladen. Er sitzt auf dem Stuhl dort. Das ist sicher ein Polizist. Er sitzt hinten im Laden. Ich habe ihn genau beobachtet. Er überwacht Klaßen.
Bernd: Bist du sicher?
Brigitte: Ich sagte es doch! Komm hierher, wir müssen uns verstecken.
Bernd: Du hast recht. Laß uns auf die andere Straßenseite gehen.
Sie gehen auf die andere Straßenseite gleich gegenüber dem Frisörladen. Sie verstecken sich in einem Hauseingang.
Bernd: Der Mann ist also ein Polizist. . .
Brigitte: Ganz sicher. Er verfolgt Klaßen im Auto. Er sieht ihn im Frisörladen. Er hält an. Auch er geht in den Frisörladen. Er setzt sich hin.
Bernd: Genauso wie ich.
Brigitte: Während der Frisör Klaßen rasiert, wartet der Polizist auf ihn.
Bernd: Er hatte die gleiche Idee wie wir. Das ist seltsam, ich habe den Polizisten nicht gesehen.
Brigitte: Das wundert mich nicht. Du hast ja immer nur Klaßen im Spiegel beobachtet.
Bernd: Natürlich. Ich wollte sicher sein, daß. . .
Brigitte: Ich verstehe, du hast richtig gehandelt. Jedenfalls habe ich den Polizisten gesehen, glücklicherweise. Darum habe ich dich ja auch gerufen.
Bernd: Ja, aber Klaßen ist dort drinnen und wir sind hier, weit entfernt.
Brigitte: Möchtest du etwa neben dem Polizisten sitzen, der Klaßen überwacht? Geh doch, geh zurück in den Laden.
Bernd: Aber Brigitte, was hast du nur?
Brigitte: Verstehst du immer noch nicht? Hör zu. Da ist ein Polizist, der Klaßen überwacht. Du bist auch da und überwachst

Klaßen. Wenn Klaßen dich sieht und mit dir spricht, ist alles aus. Du bist dann automatisch sein Gehilfe.

Bernd: Ja, ja, schon gut. Ich verstehe. Gut, daß du mich gerufen hast.

Brigitte: Und nun laß uns ernsthaft überlegen.

Bernd: Eins ist sicher. Klaßen ist dort und wir dürfen ihn nicht verlieren. Wir müssen warten, auch wenn der Polizist ihn überwacht. Wir dürfen Klaßen nicht aus den Augen verlieren. Wenn er den Laden verläßt, werden wir ihm folgen, ihm und dem Polizisten.

Brigitte: Ja, aber. . .

Bernd: Das ist riskant, aber wir müssen es tun. Wir müssen erfahren, wohin er geht, was er macht.

Brigitte: Und wenn der Polizist ihn festnimmt?

Bernd: Das müssen wir auch wissen.

Brigitte: Ich glaube, nun ist alles aus. Der Polizist wird ihn festnehmen.

Bernd: Das ist nicht sicher. Er will Klaßen vielleicht folgen. Er will vielleicht wissen, wohin er geht. Er hofft vielleicht, uns zu finden. Er sagt sich: „Klaßen hat sicher einige Gehilfen; wenn ich ihn festnehme, kann ich seine Gehilfen nicht finden. Aber wenn ich ihn nicht festnehme, kann ich vielleicht seine Gehilfen finden.“ So etwa denke ich mir das.

Brigitte: Das ist eine Möglichkeit.

Bernd: Also folgen wir Klaßen. Wir werden sehr vorsichtig sein, aber wir folgen ihm. Wir müssen! Weil. . .verstehst du. . .Klaßen hat vielleicht den Polizisten gesehen. Vielleicht weiß er, daß der Polizist ihm folgt. Wenn das der Fall ist, wird er möglicherweise versuchen zu verschwinden.

Brigitte: Du hast recht. Das Ganze ist ein Risiko, aber wir müssen es versuchen.

Bernd: Mit ein bißchen Glück können wir ihm folgen bei den vielen Leuten hier. Das ist die einzige Möglichkeit; denn wir müssen die Kisten finden, und zwar sofort.

Brigitte: Also, was machen wir nun?

Bernd: Warten, das ist die einzige Möglichkeit, warten. . .

Währenddessen, in Hamburg, bei Hartmanns, ist die Atmosphäre sehr ungemütlich. Herbert Hartmann ist nervös, unruhig. Er steht auf. Er setzt sich hin. Er steht wieder auf. Er setzt sich hin. Er steht wieder auf. Er geht durch das Zimmer. Er geht von einem Fenster zum anderen. Er schaut aus dem

Fenster. Er geht wieder zu seinem Sessel. Er setzt sich wieder hin und betrachtet das Telefon.

Ute: *(ruft)* Herbert, ich glaube, wir bekommen Besuch.

Herbert: Was?

Ute: Erwartest du jemand?

Herbert: Nein, niemand. Warum?

Ute: Ein großes weißes Auto hält gerade vor unserem Haus.

Herbert Hartmann steht auf und geht ans Fenster. Er versteckt sich hinter dem Vorhang. Er sieht nach draußen. Das Auto. . .er kennt es. . .Wer ist das nur?

Ute: Weißt du, wer das ist?

Herbert: Ach du liebe Zeit, schon wieder er!

Ute: Wer?

Herbert: Weber. Ich verstecke mich. Du sagst ihm, ich bin nicht hier. Ich bin weggegangen.

Ute: Aber warum? Was ist los?

Herbert: Er hat mich vorhin angerufen. Ich habe nicht mit ihm gesprochen. Ich habe aufgehängt. Aber er will mich sprechen. Ich weiß es. Er hat gesagt: „Es ist sehr wichtig." Und da ist er also!

Ute: Ich verstehe. Die Figuren, die unechten Figuren.

Herbert: Sieh doch, er ist es wirklich. Er kommt also zu mir. Du sagst ihm, daß ich nicht zu Hause bin.

Ute: Nein, Herbert ausgeschlossen. Ich will dir gerne helfen, aber nicht so. Und dann? Ich sage ihm, du bist weggegangen und dann?

Herbert: So öffne doch!

Ute: Ich gehe ja schon. Aber hör zu, Herbert; du mußt hierbleiben, du mußt ihn empfangen.

Herbert: Na gut, ich empfange ihn. Ich werde mit ihm sprechen.

Weber: . . .'n Abend.

Er geht gleich auf das Wohnzimmer zu. Ute ist verstört.

Ute: Herbert ist gerade im Wohnzimmer. Er erwartet sie.

Weber geht ins Wohnzimmer. Er legt ein großes Paket auf den Tisch. Er dreht sich um zu Herbert.

Herbert: Guten Abend, mein lieber Freund.

Weber: Erstens bin ich nicht ihr *lieber Freund.* Zweitens spreche ich nun. Schluß mit der Komödie, verstehen Sie? Schluß, sage ich Ihnen.

Herbert: Schluß mit der Komödie? Aber Sie sind es doch, der Theater macht!

Weber: Wirklich? Und nun mein Herr, werden wir abrechnen. Ich habe Ihnen zwei Schecks gegeben. Nun sind Sie an der Reihe. Ich will sofort mein Geld zurück.

Herbert: Aber...

Weber: Kein *aber*! Schluß mit den Versprechungen, Schluß, verstehen Sie mich? Oh, ich kenne Sie nun ganz genau. Und Sie wollen Geschäftsmann sein?

Herbert: Warum nicht? Wir beide haben einen Vertrag unterzeichnet, Sie und ich. Ich halte diesen Vertrag. Zugegeben ich habe ein wenig Verspätung, aber ich halte den Vertrag. Und in spätestens zwei Tagen erwarte ich eine außergewöhnliche Sammlung.

Weber: Wirklich? Das wundert mich. Eine außergewöhnliche Sammlung, sagen Sie?

Herbert: Ja, wunderschöne Stücke. Ich habe gerade einen Telefonanruf aus Mexiko bekommen und...

Weber: Wunderschöne Stücke? Einzigartig wie ich annehme. . .Wie die Figuren, die Sie mir vor ein paar Tagen verkauft haben. Und ich habe sie gekauft. Ich habe sie bezahlt. Ich habe sie gut bezahlt mit echtem Geld!

Herbert: Was wollen Sie damit sagen?

Weber: Worte, Versprechungen, Worte! Ich zeige Ihnen, was ich damit sagen will. Ich zeige es Ihnen, aber nicht mit Worten, mein Herr.

Weber dreht sich um. Er nimmt das Paket vom Tisch. Er sieht Herbert an.

Weber: Sehen Sie dieses Paket? Wissen Sie, was in diesem Paket ist? Ihre Figuren, die Sie mir vor ein paar Tagen verkauft haben.

Herbert: Na und?

Weber: Na und? Betrachten Sie die Figuren genau. Betrachten Sie sie zum letzten Mal.

Er hält das Paket genau vor Herbert.

Weber: Haben Sie alles genau betrachtet? Gut! Entschuldigen Sie, gnädige Frau. Ich habe Ihren Teppich schmutzig gemacht... mit . . .mit diesem Ton, diesem wertlosen Ton.

Herbert: Sind Sie verrückt? Ich werde Sie...

Ute: Herbert, bitte!

Herbert: Sie sind wahnsinnig.

Weber: Oh nein. Sie glauben ich bin dumm. Aber ich bin nicht dumm. Diese Stücke sind unecht! Sie sind falsch, so wie Sie.

Der Beweis ist hier, die Stücke auf dem Boden. Wissen Sie was, *mein lieber Freund*? Ich kann zur Polizei gehen. Ich kann ihnen alles erzählen. Jawohl, mein Herr, alles.

Herbert: Zum Beispiel?

Weber: Das Sie ein Dieb und Betrüger sind...

Herbert: Sehr gut. Und nun erzählen Sie mir von diesem berühmten Telefonanruf. Dem Telefonanruf aus Mexiko, nehme ich an.

Weber: Nein, nicht direkt. Aber ich habe nun eine Einkaufsquelle in Mexiko, das stimmt. Eine *andere* Einkaufsquelle, verstehen Sie?

Herbert: Wirklich?

Weber: Jawohl, mein Herr, und das sind *echte* Stücke.

Herbert: *(lacht)*

Weber: Lachen Sie nur, wenn Sie wollen. Aber ich will sofort mein Geld, um die Stücke zu bezahlen. Ich erwarte sie bald. Ich will sofort mein Geld zurück.

Herbert: Setzen Sie sich bitte einen Moment, *mein Herr*. Hören Sie zu. Ich bitte Sie, Sie sind in meinem Haus. Ich biete Ihnen einen bequemen Sessel an. Aus Höflichkeit können Sie...

Weber setzt sich hin. Herbert weiß, daß er nun im Vorteil ist. Er geht um den Sessel herum. Schließlich bleibt er stehen. Er bleibt stehen vor dem Sessel, in dem Weber sitzt. Herbert bleibt ruhig stehen. Er sieht Weber lange an.

Herbert: Also gut. Sprechen wir von den neuen Stücken. Sie sind noch in Mexiko, nicht wahr?. . . . Oh, bitte keinen Protest, ich weiß es. Wenn das so ist, ist es sehr einfach: ich benachrichtige die mexikanische Polizei.

Weber: Wie bitte? Aber...

Herbert: Kein aber. Erinnern Sie sich, was Sie vorhin selbst gesagt haben? Nun bin ich an der Reihe. Jawohl, ich benachrichtige die mexikanische Polizei, oder besser den Zoll. Ich habe nichts zu verlieren, Sie ja, alles. Und nun, mein lieber Freund —wenn ich Sie so nennen darf— antworten Sie mir bitte... Die Einkaufsquelle in Mexiko, diese andere, neue Quelle, wer ist es? Wer?.. .Ich warte...

Weber: Ein ehrlicher Mann. Nicht wie Sie ein Anfänger, ein Betrüger, er ist Archäologe.

Herbert: *(lacht)* Wirklich, mein lieber Weber? Sie sind aber naiv. Ich kenne diesen Archäologen. Ich werde Ihnen etwas anderes sagen. Die Figuren, die Sie leider zerbrochen haben, diese

Figuren hat ein Archäologe geprüft. Er hat sie für echt erklärt. Er hat ihren Wert geschätzt. Jawohl, und dieser Archäologe ist *mein* Archäologe. Und ich glaube, er ist auch Ihr Archäologe. . .

Weber: Das ist verrückt! Das ist unglaublich!

Herbert: Nein, mein lieber Freund, das ist die reine Wahrheit. Jawohl, das ist Professor Klaßen. Ich habe auch einen Telefonanruf bekommen, wissen Sie. Verstehen Sie nun? Sie und ich, wir sind. . .wie sagt man? Wir sind. . .in derselben Falle. Wollen Sie ein Glas Sekt?. . .Aber ja doch, ich bitte Sie. Ute, mein Schatz, bring unserem lieben Freund Leopold ein Glas Sekt.

In Merida warten Brigitte und Bernd immer noch auf der anderen Straßenseite des Frisörladens. Sie sind ungeduldig.

Bernd: Wird er nun bald kommen, ja oder nein? Was macht er nur so lange?

Brigitte: Da! Der Polizist kommt heraus.

Bernd: Allein?

Brigitte: Ja. Und jetzt steigt er in sein Auto.

Bernd: Was ist hier nur los?

Brigitte: Da kommt ja auch Klaßen!

Bernd: Sieh, das Auto fährt ab. Komm, wir müssen ihnen folgen.

Klaßen, das Auto, Brigitte und Bernd kommen an eine Straßenkreuzung. Was ist denn hier los? Musik, Posaunen, Trompeten, Gitarren, Maracas, Trommler, Sänger. Das ist eine Fiesta. Es ist unmöglich, über die Straßenkreuzung zu gehen. Jedenfalls für das Auto. Aber Klaßen verschwindet zwischen den Musikanten.

Bernd: Schnell, Brigitte, komm, er läuft weg. Wir müssen ihm nachlaufen.

Bernd und Brigitte laufen durch die Menge. Sie stoßen sich vorwärts. Sie müssen Klaßen wiederfinden. Endlich! Sie sind auf der anderen Seite der Straßenkreuzung. Aber Klaßen bleibt unsichtbar.

Fragen

1. Geht Bernd in den Frisörladen zurück?
2. Wo verstecken sich Brigitte und Bernd?
3. Warum sitzt der Polizist in dem Frisörladen?
4. Was kann der Polizist annehmen, wenn er Bernd mit Professor Klaßen sprechen sieht?
5. Wieviele Personen überwachen nun den Professor?
6. Woran sehen Sie, daß Herbert Hartmann sehr nervös ist?
7. Welchen Besuch bekommen Hartmanns?
8. Warum versteckt sich Herbert Hartmann vor Leopold Weber?
9. Was bringt Leopold Weber in Hartmanns Haus?
10. Was passiert, wenn man Tonfiguren fallen läßt?
11. Warum will Herbert Hartmann die mexikanische Polizei benachrichtigen?
12. Wer verläßt in Merida zuerst den Frisörladen?

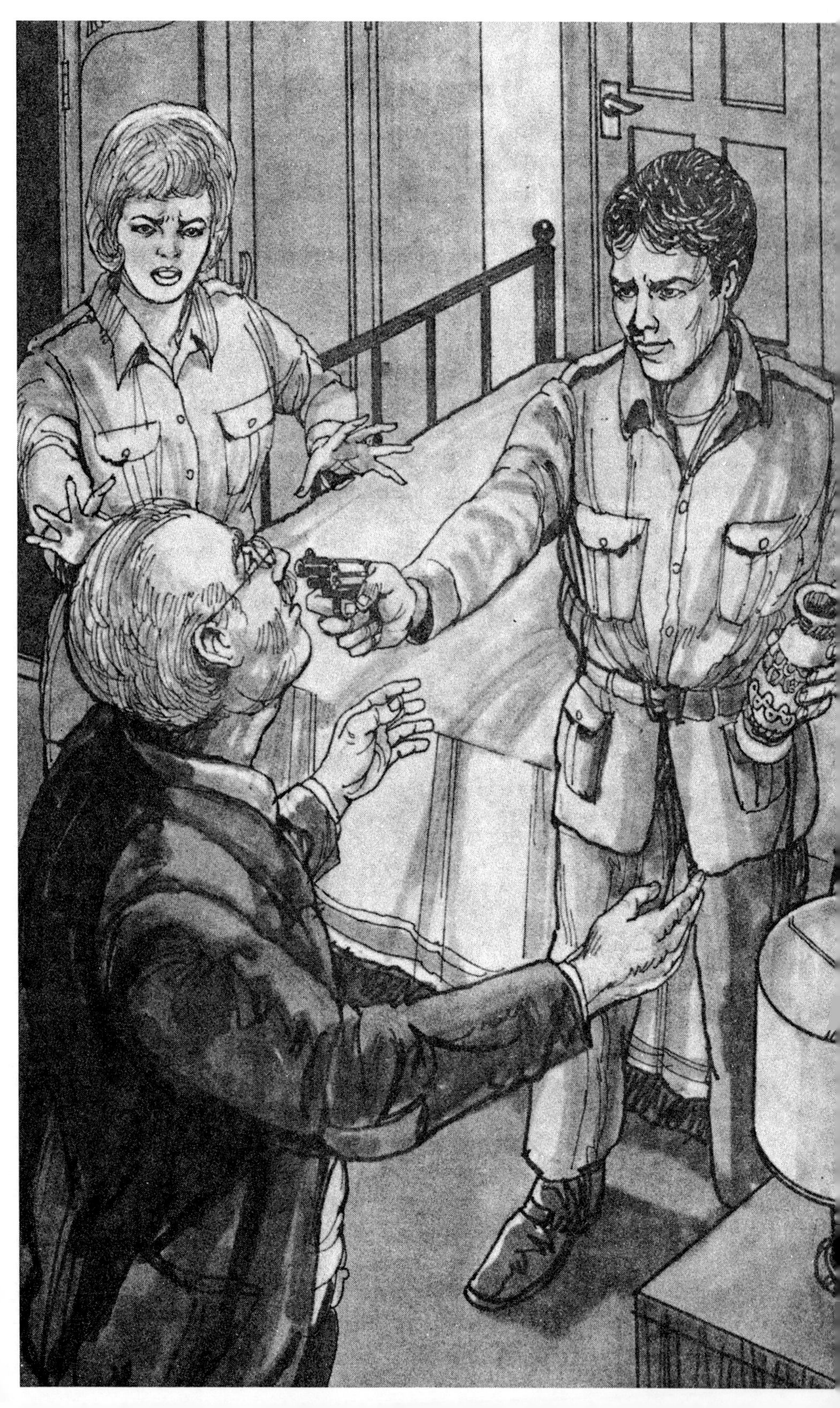

14 Drei gegen einen

Klaßen ist verschwunden. Bernd und Brigitte suchen ihn. Vielleicht versteckt er sich? Wer weiß?
Hundert Meter weiter auf der anderen Straßenseite fährt ein rot-weißes Auto vorbei. Bernd und Brigitte hören eine Stimme: „Taxi!" Ein Mann kommt aus einer kleinen Seitenstraße und läuft zu dem Taxi. Es ist Klaßen.

Klaßen: Zum Hotel Las Palmas. Schnell!
Fahrer: Hotel Las Palmas? Wo ist das?
Klaßen: Das weiß ich auch nicht. In der siebten Straße, glaube ich. Aber schnell, beeilen Sie sich bitte!
Klaßen will einsteigen, er ist fast in dem Taxi. Dieses wird gleich losfahren. Noch eine Sekunde und Klaßen wird die Tür schließen. Aber Bernd ist schneller. Auch Brigitte.
Bernd: Steigen Sie ein, Klaßen, los einsteigen!
Klaßen: Aber. . .Wie? Sie sind es!
Bernd: Jawohl, Herr Professor. . .
Brigitte: Wir sind es.
Bernd und Brigitte steigen auch in das Taxi und schließen die Tür.
Fahrer: Gut! Nun habe ich drei Leute. . .
Klaßen: Oh, meine Freunde. . .Schnell, wir müssen hier weg.
Bernd: So fahren Sie doch los.
Fahrer: Mir ist es recht, aber wohin?
Bernd: Fahren Sie!

Brigitte: Also, Herr Professor. . ?
Klaßen: Oh meine Freunde, welch ein Abenteuer! Endlich sind Sie da. Ich habe Sie überall gesucht.
Brigitte: Wirklich?
Bernd: Im Hotel Tropicana zum Beispiel?
Klaßen: Aber verstehen Sie mich doch. Ich. . .ich bin dort. . .Ein Mann folgt mir.
Brigitte: Das wissen wir.
Klaßen: Ein Polizist, das ist ein Polizist.
Bernd: Ja, das wissen wir auch. Aber warum folgt er Ihnen?
Brigitte: Ja, warum? Was haben Sie getan, Herr Professor?
Klaßen: Endlich habe ich Sie gefunden.

Brigitte: Ich glaube, wir haben Sie gefunden. Was meinen Sie?
Fahrer: Also, wohin fahren wir nun?
Klaßen: Ich weiß es auch nicht.
Bernd: Aber ich weiß es. Wir fahren zu Ihrem Hotel, zu der Adresse, die Sie dem Fahrer gegeben haben.
Klaßen: Nein. Nein, das ist zu gefährlich.
Brigitte: Und warum? Fahrer, fahren Sie bitte zu seinem Hotel.
Fahrer: Zum Hotel Las Palmas? In der siebten Straße, sagten Sie?
Klaßen: Nein, warten Sie! Wir können nicht zu meinem Hotel fahren. Ich will das nicht.
Bernd: Aber wir, wir wollen.
Klaßen: So hören Sie doch . . .
Bernd: Halt den Mund, Betrüger!
Brigitte: Aber Bernd, du mußt freundlich sein mit dem Herrn Professor. . . Nicht wahr, lieber Professor, lieber, guter Freund.
Klaßen: Aber. . .was wollen Sie von mir?
Bernd: Das werden Sie bald sehen. . .in Ihrem Hotelzimmer.

Klaßen hat Angst. Er macht eine Bewegung vorwärts, um die Autotür zu öffnen. Bernd holt seinen Revolver hervor. Er drückt Klaßen den Revolver in den Rücken. Das Taxi fährt zur siebten Straße, außerhalb des Stadtzentrums. Das Taxi hält vor einem alten, gelben Haus mit einem Palmengarten – Hotel Las Palmas.

Fahrer: Ist es hier?
Brigitte: Ich glaube, ja.
Bernd: Klaßen, der Fahrer hat sie etwas gefragt. Ist es hier?
Klaßen: Ja. . .Hier ist es. Ja.
Bernd: Also bezahlen Sie. Und geben Sie ihm ein gutes Trinkgeld, er war sehr freundlich.

Sie steigen aus dem Taxi. Klaßen bezahlt. Das Taxi fährt weg.

Bernd: Machen Sie nun keine Schwierigkeiten. Wir gehen in Ihr Hotel. Sie holen Ihren Zimmerschlüssel. Dann gehen wir in Ihr Zimmer. Verstanden?

Sie gehen in das Hotel. Es ist ein kleines, armseliges Hotel in einem Vorort von Merida. Sein Name, Las Palmas, gibt die Vorstellung von Strand, Luxus, Urlaub. In der Empfangshalle ist niemand.

Bernd: Fragen Sie nach Ihrem Zimmerschlüssel.
Klaßen: *(ruft)* Ist hier jemand?. . .Señora!

Besitzerin: Ah, Sie sind es, Sir Walter?
Brigitte: Aha, nun sind Sie also Sir Walter? Sir Walter Scott wahrscheinlich.
Besitzerin: Sie haben Freunde, wie ich sehe...
Bernd: Ja, wir sind seine Freunde.
Besitzerin: Was wünschen Sie?
Bernd: Geben Sie Ihrer Majestät dem König von England den Zimmerschlüssel.
Klaßen: Ja, geben Sie mir bitte den Zimmerschlüssel...Danke, Señora. Entschuldigen Sie bitte. Also gehen wir.
Brigitte: Also...Sir Walter?
Bernd: Sie haben dieses Hotel dem Tropicana vorgezogen?
Brigitte: Können Sie uns bitte einige Erklärungen geben?
Klaßen: Verstehen Sie doch, meine Freunde. Sie können hier nicht bleiben. Sie müssen sofort hier weg. Ich bitte Sie. Es ist besser für Sie.
Bernd: Und sicher auch für Sie.
Brigitte: Warum sind Sie nicht ins Hotel Tropicana gegangen? Warum verstecken Sie sich hier?
Bernd: Und unter einen so albernen Namen.
Klaßen: Weil die Polizei mir folgt. Ich habe Angst. Ich habe Angst um mich und nun auch um Sie.
Brigitte: Sie haben Angst um uns?
Bernd: Sie irren sich, Herr Professor.
Bernd nimmt seinen Revolver und legt ihn auf den Tisch.
Klaßen: Aber...was wollen Sie von mir?
Brigitte: Also die Polizei folgt Ihnen? Na gut. Seit wann?
Klaßen: Seit...zwei Tagen, glaube ich.
Bernd: Seit zwei Tagen? Sie sind schon drei Tage hier? Warum sind Sie dann nicht am ersten Tag ins Hotel Tropicana gegangen?
Klaßen: Weil...Ich sage Ihnen doch, die Polizei folgt mir. Also habe ich ein kleines, ruhiges Hotel gesucht. Und ich habe einen falschen Namen angegeben.
Brigitte: Sehr gut...Sir Walter, aber...warum haben Sie nicht im Hotel Tropicana angerufen? Warum haben Sie uns keine Nachricht hinterlassen?
Bernd: Eine kurze Nachricht per Telefon, um uns zu warnen, um uns Ihre Adresse zu geben? Also?
Klaßen: Ich bitte Sie. Ich bin in Gefahr. Die Polizei folgt mir.
Brigitte: Und warum folgt Ihnen die Polizei?

Klaßen: Ich weiß es auch nicht! Vielleicht hat die Polizei erfahren, daß wir in den Pyramiden waren.

Bernd: Das ist möglich. Aber warum folgt die Polizei Ihnen und nicht uns?

Klaßen: Ich weiß es nicht.

Bernd: Dann will ich es Ihnen sagen. Die Polizei folgt Ihnen, weil Sie die Kisten haben.

Klaßen: Die Kisten?

Brigitte: Ja, die Kisten.

Bernd nimmt seinen Revolver in die Hand.

Klaßen: Aber. . .aber. . .sind Sie verrückt? Was wollen Sie von mir?

Bernd: Die Wahrheit.

Brigitte: Vor ein paar Tagen, nach unserem Unfall, was haben Sie da gemacht?

Bernd steht auf und nähert sich Klaßen mit seinem Revolver.

Bernd: Sprechen Sie!

Brigitte: Nach unserem Unfall sind Sie zurückgefahren, nicht wahr? Und Sie haben das Flugzeug gefunden.

Klaßen: Aber. . .

Bernd: Nein, Professor, da gibt es kein *aber*. Ja oder nein?

Klaßen: Also. . .

Bernd: Ja oder nein?

Brigitte: Wir wissen die Wahrheit. Also sprechen Sie, wir warten.

Klaßen: Ja.

Bernd: Aha, und dann?

Klaßen: Ja, ich habe das Flugzeug gesehen. Und ich habe gedacht. . . Ich habe gedacht: Sie hatten einen Unfall. Ich will sehen, ob ich ihnen helfen kann. Also habe ich das Flugzeug gesucht. Ich habe Sie gerufen. Ich habe Sie gesucht. Und dann. . .

Brigitte: Und dann?

Klaßen: Bin ich weitergefahren.

Brigitte: Mit den Kisten.

Klaßen: Aber nein!

Brigitte: Bernd, durchsuche sein Zimmer. Schau in den Schrank, in die Kommode, unter das Bett.

Klaßen: Da ist nichts. Ich habe nichts. Ich sagte es schon.

Brigitte: Warum folgt Ihnen dann die Polizei? Sie haben die Kisten genommen.

Klaßen: Aber nein. Ich habe sie nicht genommen. Sie wissen genau, die Kisten sind sehr schwer. Sie sind zu schwer für einen alten Mann wie mich.

Bernd: Woher wissen Sie das? *Ich* habe doch die Kisten ins Flugzeug getragen.

Klaßen schweigt. Bernd und Brigitte durchsuchen das Zimmer.

Zur gleichen Zeit, in der Stadt, in dem schwarzen Auto, dem Polizeiauto...

Polizist: Hallo, hier Wagen 212, Wagen 212. Ich rufe Inspektor Ayala ... Wichtige Durchsage.. .Bitte kommen.

Ayala: Hallo, 212, hier Ayala. Bitte kommen.

Polizist: Entschuldigen Sie, Inspektor, aber ich habe den Mann aus den Augen verloren.

Ayala: Sie haben ihn aus den Augen verloren? Das ist schlecht. Wo sind Sie?

Polizist: Nicht weit von der Kirche.

Ayala: Soll ich Ihnen noch jemand schicken, um Ihnen zu helfen?

Polizist: Nein, danke Inspektor. Ich werde ihn finden. Entschuldigen Sie bitte.

Ayala: Das ist nicht so schlimm. Wenn Sie ihn nicht finden, kann ich ihn morgen früh am Flughafen festnehmen. Ich habe seine Flugnummer. Aber wenn möglich will ich ihn heute finden, verstanden. Ende.

Für Klaßen in seinem Zimmer sieht es schlecht aus. Bernd findet eine Figur und eine Maske unter dem Schrank.

Bernd: Aha! Und was ist das, Herr Professor?

Brigitte: Lieber Herr Professor, Sie sind doch Experte. Wissen Sie, was das ist? Mayakunst, nicht wahr! Und wo haben Sie die Sachen gefunden?

Klaßen: Sie gehören mir. Mir, sage ich Ihnen.

Bernd: Hier! Noch zwei andere Figuren.. .und eine Vase!

Klaßen: All das gehört mir. Ich habe die Sachen gefunden. Jawohl, ich war es, der sie gefunden hat. Es stimmt, ich gebe zu, ich habe sie in meine Tasche gesteckt. Aber ich habe sie gefunden. Ich habe sie für mich behalten, weil Hartmann mich bestohlen hat. Ja, er hat mich in Hamburg bestohlen. Er hat meine Figuren gestohlen. Deshalb wollte ich sie ersetzen. Ich habe die Sachen gefunden. Und ich habe sie in meine Tasche gesteckt.

Brigitte: Sie lügen! Ja, Sie lügen. Bernd, gib mir die Maske. . .Ich kenne sie. Sie haben sie gefunden, das stimmt, aber ich kenne sie. Ich kenne sie, weil ich, hören Sie, weil ich sie in die Kiste gepackt habe. Sie sind ein Lügner und auch sehr dumm. Wo sind die Kisten? Bernd, den Revolver bitte.

Bernd: Laß nur, ich mache das schon. Es ist mir eine Freude. . .

Bernd nähert sich Klaßen. Er hält ihm den Revolver unter die Nase.

Klaßen: Na gut. Ja. Ich habe die Kisten genommen und sie zum Flughafen gebracht. Ich habe sie genommen, weil Hartmann in Hamburg meine Sammlung gestohlen hat. Er hat mich bestohlen. Und er wird auch Sie bestehlen, auch Sie. Darum habe ich die Kisten genommen. Ich will die Sachen in Hamburg verkaufen. Ihr Herbert ist ein Dieb.

Brigitte: Wir sprechen jetzt nicht von Herbert, wir sprechen von Ihnen . . .und den Kisten. Wo sind sie?

Klaßen: Ich sagte es doch, im Flughafen.

Brigitte: Im Flughafen?

Klaßen: Ja.

Brigitte: Sind Sie denn verrückt? Das ist ein nettes Geschenk für den Zoll. Wahnsinnig!

Klaßen: Wie sprechen Sie denn mit mir? Und außerdem habe ich einige Stücke hier bei mir.

Brigitte: Sie sind dumm, Klaßen, wirklich dumm.

Klaßen: Glauben Sie? Ich habe eine Ausfuhrgenehmigung bekommen. Ich habe dem Zollbeamten Geld gegeben. Jetzt habe ich eine offizielle Genehmigung. Sehen Sie? Sie kommen zu spät.

Bernd: Oh nein, lieber Professor, ich glaube, wir kommen gerade im richtigen Moment. Sie haben gute Arbeit geleistet, für uns; wir danken Ihnen.

Brigitte: Genau. Verstehen Sie, Professor, wir, wir werden mit den Kisten, mit *unseren* Kisten nach Hamburg fliegen. Und wenn ich sage „wir“, meine ich Bernd und mich. Und Sie, Sie bleiben hier.

Bernd: Das stimmt, Sie können nicht mit uns fliegen. Sie sind ein gefährlicher Mann. Die Polizei kennt Sie zu gut.

Brigitte: Welche Flugnummer haben Sie?

Bernd: Und die Genehmigung, die offizielle Zollgenehmigung?

Klaßen: Nein, niemals!

Bernd: Aber Professor, Sie werden sie uns geben. Und wissen Sie warum? Weil Ihre Genehmigung *Ihnen* jetzt nichts mehr nützt. Sie wollen immer noch nicht? Na gut, ich habe eine Idee. Wir machen einen Tausch. Drei Kisten gegen eine. Sie geben uns die Genehmigung, und die drei Kisten. Und wir, wir geben Ihnen eine andere Kiste, eine große Kiste...

Bernd hält ihm den Revolver unter die Nase.

Bernd: Eine große Kiste für Sie ganz allein.

Fragen

1. Hat Professor Klaßen immer noch seinen Jeep?
2. Zu welchem Hotel soll das Taxi fahren?
3. Wieviele Leute sind in dem Taxi?
4. In welcher Straße ist das Hotel von Klaßen?
5. Warum hat der Professor Angst?
6. Wer bezahlt den Taxifahrer?
7. Ist Las Palmas ein Luxushotel?
8. Warum dreht Bernd an Klaßens Zimmertür den Schlüssel um?
9. Warum folgt die Polizei Klaßen und nicht Bernd und Brigitte?
10. Wo findet Bernd einige Mayafiguren?
11. Warum hat der Polizist Klaßen aus den Augen verloren?
12. Wird die Mannschaft gemeinsam nach Hamburg zurückfliegen?
13. Welchen Tausch will Bernd mit Klaßen machen?

15 Der spontane Kuß

In Klaßens Hotelzimmer...

Bernd: Das stimmt, Sie können nicht mit uns fliegen. Sie sind ein gefährlicher Mann. Die Polizei kennt Sie zu gut.

Brigitte: Welche Flugnummer haben Sie?

Bernd: Und die Genehmigung, die offizielle Zollgenehmigung?

Klaßen: Nein, niemals!

Bernd: Aber Professor, Sie werden sie uns geben. Und wissen Sie warum? Weil Ihre Genehmigung *Ihnen* jetzt nichts mehr nützt. Sie wollen immer noch nicht? Na gut, ich habe eine Idee. Wir machen einen Tausch. Drei Kisten gegen eine. Sie geben uns die Genehmigung, und die drei Kisten. Und wir, wir geben Ihnen andere Kiste, eine große Kiste...

Bernd hält ihm den Revolver unter die Nase.

Bernd: Eine große Kiste für Sie ganz allein.

Klaßen: Nein!

Brigitte: Los, beeilen Sie sich. Hör zu, Bernd. Wir müssen uns beeilen. Ich rufe nun Herbert an. Ich sage ihm, wo die Kisten sind.

Bernd: Ihre Flugnummer?

Klaßen: Nein.

Brigitte: Bernd, mach mit ihm was du willst. Wir brauchen die Zollgenehmigung! Ich muß sofort Herbert anrufen, sonst bekommt Weber die Kisten.

Bernd: Weber, sagt Ihnen das was?

Klaßen: Nein.

Bernd: Oh doch! Sie haben ihn doch angerufen.

Klaßen: Ich? Nein

Bernd: Das genügt! Wo ist die Genehmigung? Ich will sie haben, hören Sie, und zwar sofort.

Klaßen: Nein.

Bernd: Nun aber Schluß. Sie haben von einer Gehehmigung gesprochen. Wo ist sie?

Klaßen antwortet nicht.

Brigitte: Dann werden wir sie eben suchen. Bernd...

Bernd: Ja?

Brigitte: Durchsuche seine Taschen, seine Hose, seine Jacke.

Klaßen: Nein, lassen Sie mich los.

Klaßen steht auf. Bernd hält ihn fest. Die beiden Männer schlagen sich. Bernd hält in der rechten Hand den Revolver; mit der linken Hand verteidigt er sich gegen Klaßen. Klaßen hat beide Hände frei. Aber er ist nicht so jung und stark. Trotzdem verteidigt er sich. Bernd steckt seine Hand in Klaßens Jackentasche; Klaßen verliert das Gleichgewicht, er fällt hin. Bernd, die Hand in Klaßens Jackentasche, fällt auch hin, und zwar auf Klaßen.

Klaßen: *(stößt einen Schrei aus)*

Brigitte: Das hat uns gerade noch gefehlt!

Bernd: Aber . . .das habe ich nicht gewollt. Der Revolver ist von alleine losgegangen. Seine Schulter. Es ist nur seine Schulter.

Brigitte: So suche doch die Genehmigung. Er trägt sie sicher bei sich.

Bernd durchsucht wieder die Taschen. Endlich findet er zwei Papiere.

Bernd: Aha, ich glaube, das ist es. Schau her.

Brigitte: Ja, das ist es. Offizielle Zollerklärung. Drei Kisten. Und hier ist auch der Zollstempel.

Bernd: Das ist ja wunderbar! Ist es auch eine offizielle Genehmigung?

Brigitte: Oh ja. Und schau nur: *Kisteninhalt: Kunstgegenstände.*

Bernd: Hm, dann werden wir keine Probleme haben. Nicht dumm, der Professor. . .

Brigitte: Ja, aber da ist noch Klaßens Name. Wir müssen den Namen ändern, um die Kisten in Hamburg abholen zu können, verstehst du?

Bernd: Nein, wir brauchen den Namen nicht zu ändern. Wenn du den Namen änderst, das kann man sehen. Wir brauchen eine schriftliche Erklärung von Klaßen.

Brigitte: Du hast recht. Eine schriftliche Erklärung, die sagt, daß wir die Kisten in Hamburg in seinem Namen abholen können. Professor. . .

Klaßen: Ich bitte Sie, lassen Sie mich, lassen Sie mich jetzt in Ruhe.

Bernd: Stehen Sie auf. Ich helfe Ihnen. Sie werden aufstehen und sich an diesen Tisch setzen.

Klaßen: *(stöhnt)* Au, vorsichtig! Es tut weh.

Brigitte: Aber. . .er blutet ja, er blutet sehr stark.

Bernd: Wir haben keine Zeit, uns um ihn zu kümmern. Wir müssen uns jetzt um die Genehmigung kümmern. Klaßen, nehmen Sie diesen Stift. Schreiben Sie.

Klaßen: Ich will nicht, ich will nicht.
Bernd: Sie müssen! Hier, schreiben Sie.
Klaßen: Wo?
Bernd: Hier unten auf dieses Papier. Schreiben Sie: „Ich Thomas Klaßen, gebe die. . ." Schreiben Sie weiter! . . .„gebe die Genehmigung, daß Brigitte Jacobs und Bernd Schulz. . .
Brigitte: Einen Moment, Bernd. „. . .gebe die Genehmigung, daß Herbert Hartmann die Kisten in meinem Namen abholen kann." Das ist mir lieber. Und außerdem gehören die Kisten ja auch Herbert. Und wenn uns was passiert. . .
Bernd: Einverstanden. „. . .daß Herbert Hartmann. . .
Klaßen: Nein, nein, nicht er!
Bernd: Ja! Schreiben Sie: „. . .daß Herbert Hartmann die Kisten in meinem Namen abholen kann. . .Unterschrift: Thomas Klaßen."

Klaßen unterschreibt und fällt auf den Tisch. Brigitte geht zu ihm und betrachtet seine Schulter.

Bernd: Komm, Brigitte. Wir müssen weggehen.
Brigitte: Aber er ist halb tot!
Bernd: Aber nein, es ist nur seine Schulter; das ist nicht schlimm.
Brigitte: Er blutet, sogar sehr stark. Wir können ihn nicht einfach hierlassen.
Bernd: Wir können nicht hierbleiben. Was willst du tun? Die Polizei rufen? Oder den Krankenwagen?
Brigitte: Natürlich nicht. Ich sagte. . .
Bernd: Und ich sage dir, daß wir hier sofort verschwinden müssen, sonst ist alles aus.
Brigitte: Ja, ja, ich weiß. . .
Bernd: Also, komm jetzt. Wir können nicht hierbleiben. Das ist zu gefährlich. Komm.

Brigitte will die Tür öffnen.

Bernd: Nein, nicht durch die Tür. Die Hotelbesitzerin kann uns sonst sehen. Wir werden aus dem Fenster klettern. *(ruft)* Komm! Spring. Beeile dich!

Brigitte springt aus dem Fenster. Bernd hilft ihr.

Klaßen ist in seinem Zimmer. Er hat immer noch den Kopf auf dem Tisch. Er versucht, um Hilfe zu rufen.

Bernd und Brigitte sind inzwischen ein Stück gelaufen. Sie sind nun nicht weit vom Stadtzentrum entfernt. Sie suchen ein Telefon. Sie suchen eine Post.

Herbert Hartmann, zu Hause in Blankenese wartet immer noch auf Nachricht von seinen Freunden. Er kann nicht immer nur Versprechungen machen und Weber belügen. Und außerdem muß er wissen was in Mexiko passiert. Wird Brigitte ihn nun bald anrufen, ja oder nein?!

Brigitte: Hallo?
Herbert: *(aufgeregt)* Hallo, Hartmann am Apparat.
Brigitte: Ich bin es, Herbert; ich habe Neuigkeiten.
Herbert: Endlich! Was ist nur passiert?
Brigitte: Wir haben die Kisten gefunden, ich meine noch nicht richtig. . .
Herbert: Habt ihr sie nun oder nicht?
Brigitte: Nein, aber sie gehen morgen ab mit dem Lufthansaflug 852.
Herbert: Welchen Flug sagst du?
Brigitte: Warte, ich sehe noch einmal nach. . .Bernd, welche Flugnummer steht auf der Zollgenehmigung?
Bernd: Lufthansa 852. Abflug zehn Uhr dreißig morgen früh.
Brigitte: Ja, das war richtig, 852. Hör zu. Die Kisten werden mit einer offiziellen Zollgenehmigung ankommen.
Herbert: Das ist ja prima. Wie habt ihr denn das gemacht?
Brigitte: Ich kann jetzt nicht alles am Telefon erklären. Wir hatten Schwierigkeiten mit Klaßen. Also hast du verstanden? Die Kisten kommen mit dem Flug Nummer 852 und wir auch. Wir haben noch keine Flugkarten, aber. . .
Herbert: Gut, ich hole euch am Flughafen ab. Und sonst. . .ist alles in Ordnung?
Brigitte: Ja, ich meine. . .ich weiß nicht. Wir hatten große Schwierigkeiten. Ich kann jetzt nicht alles am Telefon erklären. Ich hoffe, daß. . .Ja, kein Problem. Wir können uns für eine Nacht verstecken.
Herbert: Gut. Viel Glück und bis morgen am Flughafen. Und danke.
Brigitte: Ja, Herbert, ja. . .Bis morgen.

Brigitte erzählt Bernd, was Herbert gesagt hat. Nun sind sie wieder auf der Straße.

Brigitte: Ich bin müde. Was machen wir nun?
Bernd: Ich weiß nicht.
Brigitte: Wohin können wir gehen?
Bernd: Jedenfalls nicht ins Hotel.
Brigitte: Wie es wohl Klaßen geht?

Bernd: Das ist nicht schlimm. Es ist nur seine Schulter. Und außerdem werden wir uns nicht um diesen Hund kümmern. Zuerst müssen wir uns um uns selber kümmern. Wir werden irgendwo übernachten. Und morgen werden wir die Flugkarten für den Flug 852 holen. Wir müssen bis morgen kurz vor dem Abflug warten.

Brigitte: Wie du willst. Ich bin so müde. Siehst du kein Taxi?

Bernd: Ein Taxi? Bist du verrückt? Die Taxifahrer sind geschwätzig wie alte Frauen, vor allen Dingen mit der Polizei. Nein, wir dürfen kein Taxi nehmen. Wir, Ausländer, spät abends in den Straßen von Merida, das ist verdächtig genug.

Brigitte: Ja, du hast recht, also kein Taxi. Aber wohin gehen wir? Hast du hier ein Hotel gesehen?

Bernd: Wir gehen auch in kein Hotel. Kein Taxi, kein Hotel. Wenn uns die Polizei findet. . .

Brigitte: Ja. . .Die Polizei. . .Ich frage mich, ob die Polizei. . .

Bernd: Ob sie was?

Brigitte: Ich weiß es auch nicht, Bernd, ich weiß es auch nicht.

Bernd: Aber ich weiß, was du denkst. Du denkst, daß Klaßen die Polizei alamiert hat, daß er die Hotelbesitzerin gerufen hat. Und sie hat dann die Polizei gerufen. Natürlich, das ist möglich. Deshalb dürfen wir auch nicht in ein Hotel gehen. Komm, wir werden ein Stück laufen. Wir werden die Nacht am Strand verbringen. Es ist warm draußen. Komm!

Brigitte: Warum hast du nur auf ihn geschossen?

Bernd: Ich habe nicht auf ihn geschossen. Der Revolver ist von alleine losgegangen. Es war ein Unfall.

Brigitte: Du hast aber auf ihn geschossen und. . .

Bernd: Und?

Brigitte: Und jetzt wird er sprechen.

Bernd: Aha, so ist das also! Nun beschuldigst du mich, daß ich ihn nicht getötet habe.

Brigitte: Aber nein, Bernd, das ist es nicht.

Bernd: Du hast Angst, das ist alles. Du hast schreckliche Angst. Ich habe nun genug, weißt du. Ich habe schon genug Probleme ohne dich. Ich brauche deine Beschuldigungen und Dummheiten nicht. Ist das möglich, der Chef hat Angst?

Brigitte Ja, ich habe Angst. Ich gebe das zu. Aber ich fühle mich allein; ja, ich fühle mich allein. Wir haben einen Mann verletzt.

Du verstehst das nicht, natürlich. Du verstehst das nicht, weil du ein Mann bist, ein harter, mutiger Mann. Aber Mitgefühl für andere hast du nicht.

Sie schweigen. Ein Auto kommt die Straße entlang.

Brigitte: Küß mich, nimm mich in deine Arme.

Bernd zögert. Sie wirft sich in seine Arme.

Brigitte: So halte mich doch. Und küß mich, verstehst du immer noch nicht? Nun komm schon! Wir sind ein Liebespaar! Das ist die Polizei. . .

Bernd nimmt Brigitte in seine Arme. Er küßt sie. Er hält sie in seinen Armen. Das Polizeiauto fährt nun langsamer. Bernd legt eine Hand auf Brigittes Schulter, die andere in ihren Nacken, und er küßt sie wieder. Das Auto hält einen Moment an. Die Polizisten lachen und fahren weiter.

Brigitte: Siehst du?

Bernd: Was?

Brigitte: Das war eine gute Idee.

Bernd: Ja, eine sehr gute Idee.

Brigitte: Liebespaare sind immer unschuldig!

Bernd: Selbst wenn sie sich töten?

Brigitte: *(lächelt)* Das wollen wir aber nicht tun.

Bernd: Nein, du hast recht. Nicht sofort jedenfalls. Komm, laß uns an den Strand gehen. Wir werden die Nacht dort verbringen, im Sand. Willst du? Warte. . .Küß mich. Da ist zwar kein Polizeiauto, aber trotzdem, küß mich. Willst du?

Brigitte: Ja, Bernd, ja ich will. Vielleicht ist das der letzte schöne Augenblick in unserem Leben.

Sie küssen sich. Dieses Mal braucht Brigitte nicht zu sagen, daß Bernd sie fest in seine Arme nehmen soll.

Fragen

1. Gibt Professor Klaßen Bernd die Zollgenehmigung?
2. Warum ist Bernd stärker als der Professor?
3. Hat Bernd auf den Professor geschossen?
4. Ist Klaßen verletzt?
5. Wer soll die Kisten in Hamburg am Flughafen abholen?
6. Verlassen Bernd und Brigitte das Hotel durch die Empfangshalle?
7. Mit welchem Lufthansaflug kommen die Kisten nach Hamburg?
8. Können Bernd und Brigitte ruhig in einem Hotel übernachten?
9. Hat Bernd Mitgefühl für Professor Klaßen?
10. Laufen Bernd und Brigitte weg, als das Polizeiauto kommt?
11. Nehmen die Polizisten die Beiden fest?

16 Die Postkarte

Inzwischen ist es Nacht geworden. Es ist eine von den warmen, ruhigen tropischen Nächten. Das Meer ist ruhig, der Sand ist weich. Der Mond scheint durch die Äste einer Palme. Bernd und Brigitte spazieren auf dieser „Postkarte".

Brigitte: Was für eine schöne Nacht.
Bernd: Und du bist noch schöner.
Brigitte: *(lacht)* Noch schöner als der Mond?
Bernd: Ja, noch schöner.
Brigitte: Ich bin ja auch näher bei dir als der Mond.
Bernd: Nein. Stell dir vor. . .Stell dir vor du bist da oben, wo jetzt der Mond ist. Und der Mond ist hier am Strand. Ich werde dann nach oben zu dir steigen. Ich werde dich herunterholen.
Brigitte: Du bist wirklich sehr lieb.

Sie gehen weiter am Strand entlang. Dann steigen sie wieder den Strand hinauf zu den Palmen.

Brigitte: Sieh nur, sieh das Mondlicht scheint durch die Palmenblätter; siehst du, es macht weiße Linien auf dem Sand.
Bernd: Streifen. . .wie bei einem Zebra. *(lacht)* Erinnerst du dich? Die Geschichte des Wachtmeisters; die Geschichte des Zebras, das einen Bullen trifft?
Brigitte: Nun bist du nicht mehr so romantisch. *(lacht und küßt ihn wieder)*
Bernd: Wir werden die Nacht hier unter den Palmen verbringen, willst du?
Brigitte: Ja.
Bernd: Wir werden uns . . . .hier hinlegen. Ich mache uns ein Bett aus Sand, mit zwei Kopfkissen. Du wirst sehen, das ist besser als im Hotel. Findest du das nicht auch sehr bequem?
Brigitte: Oh ja.
Bernd: Und hier sind wir sicher.
Brigitte: Ja. . .
Bernd: Was hast du denn?
Brigitte: Ich? Nichts.
Bernd: Doch, das sehe ich doch.
Brigitte: Aber nein. . .
Bernd: Ich kenne dich jetzt gut. Und ich weiß, irgendetwas stimmt nicht. Antworte mir. Was ist es?

Brigitte: Ich weiß nicht.
Bernd: Du weißt es sehr gut. Aber du willst es nicht sagen. Hör zu, Brigitte, wir zwei verstehen uns gut, oder nicht? Du kannst es mir sagen. Was ist es? Was denkst du? Sage es mir. Was ist es?
Brigitte: Ich bin ein bißchen traurig, das ist alles.
Bernd: Traurig?
Brigitte: Ich meine. . .ich fühle mich nicht wohl.
Bernd: Du fühlst dich nicht wohl? Wegen mir? Ist es wegen mir?
Brigitte: Nein, nicht wegen dir. Im Gegenteil. Du. . .
Bernd: Ich. .?
Brigitte: Hör zu, Bernd. Ich denke an Klaßen.
Bernd: Das ist es also.
Brigitte: Ja, ich kann ihn nicht leiden, das weißt du. Aber er ist verletzt und. . .
Bernd: Du brauchst nicht an Klaßen zu denken. Wir müssen an uns selbst denken.
Brigitte: Ich denke auch an uns. *Wir* haben ihn ja verletzt.
Bernd: Das war ein Unfall. Ich habe es nicht absichtlich getan. Der Revolver ist von alleine losgegangen, glaube mir doch.
Brigitte: Ja, aber wenn er tot ist?
Bernd: Aber nein!
Brigitte: Oder wenn er stirbt. . .
Bernd: Ich sage dir doch, es is nicht schlimm. Es ist nichts. Es ist nur seine Schulter. Brigitte, so glaube mir doch.
Brigitte: Vielleicht hast du recht. Aber wir sind nicht sicher.
Bernd: Das stimmt. Wir sind nicht sicher. Na und? Was sollen wir tun?
Brigitte: Ich weiß es auch nicht.
Bernd: Doch, du weißt es. Du hast eine Idee. Was ist es? Zurückkehren zum Hotel?
Brigitte: Natürlich!
Bernd: Bist du verrückt?
Brigitte: Wir müssen zurückkehren und ihm helfen.
Bernd: Nein, Brigitte, nein. Ich will nicht. Ich will das auf keinen Fall. Es ist gut, daß du an ihn denkst. Aber wir dürfen nicht zurückkehren. Das ist verrückt. Klaßen, verstehst du, tot oder nicht, wir können da nichts machen. Und außerdem. . .Brigitte, du mußt mir glauben.
Brigitte: Ja, Bernd. . .

Bernd: Hör zu. Zum Hotel zurückkehren, das ist keine gute Idee. Klaßen hat sicher schon um Hilfe gerufen. Die Hotelbesitzerin kümmert sich wahrscheinlich um ihn. Vielleicht hat sie die Polizei gerufen. Siehst du, wenn wir zum Hotel zurückkehren, laufen wir der Polizei direkt in die Arme.

Brigitte: Ja, ich weiß, ich weiß...

Bernd: Und ich sagte dir ja, er ist nicht verletzt, jedenfalls nicht sehr. Es ist nur seine Schulter. Du mußt Klaßen vergessen. Er war sehr gemein zu uns. Er hat uns betrogen. Ja oder nein?

Brigitte: Ja...

Bernd: Siehst du, . . .denke an uns nun.

Brigitte: Ich weiß. Aber ich bin trotzdem traurig.

Bernd: Vergiß es. Vergiß all das. Denke an eins: wir verbringen hier ruhig eine Nacht, und morgen, morgen früh nehmen wir das Flugzeug nach Hamburg. Nach Hamburg, stell dir vor. Fünfzehn Stunden später sind wir schon in Hamburg, du und ich, mit den Sachen, die das Glück bedeuten, Millionen!

Brigitte: Millionen. Ja, ich weiß. Gib mir noch einen Kuß, einen einzigen...

Bernd: Nicht nur einen. Für dich, Millionen. Hier ist der erste....

Professor Klaßen in seinem Hotelzimmer kommt wieder zu sich. Er untersucht seine Schulter. Er blutet. Er hat Schmerzen. Er steht auf und dann...

Klaßen: *(ruft)* Señora. . .Señora!

Besitzerin: Ja, was gibt's denn?

Klaßen: Kommen Sie schnell! Kommen Sie, bitte!

Besitzerin: Ich bin beschäftigt. Können Sie nicht zwei Minuten warten?

Klaßen: Nein. Kommen Sie bitte sofort.

Besitzerin: Na gut. Ich komme!. . . .Aber. . .aber was haben Sie denn? Blut! Mein Gott, überall ist Blut!

Klaßen: Ich bin verletzt, an der Schulter.

Besitzerin: Schnell! Sie müssen in Ihr Zimmer zurück.

Klaßen: Ich kann nicht. Helfen Sie mir.

Besitzerin: Ich kann Ihnen nicht helfen. Sie sind zu schwer.

Klaßen: Helfen Sie mir. Sie müssen mir helfen.

Besitzerin: Ich will es versuchen. . .Aber was ist denn passiert?

Klaßen: Sie haben geschossen...

Besitzerin: Waren das Ihre Freunde?

Klaßen: Ja, meine Freunde. . .!

Besitzerin: Ich rufe die Polizei.

Klaßen: Nein, bitte nicht. Rufen Sie nicht die Polizei. Ich will keine Polizei hier.

Besitzerin: Ich mag auch keine Polizei in meinem Hotel, aber. . .

Klaßen: Nein, bitte rufen Sie nicht die Polizei. Sie können mir helfen und morgen reise ich ab. Ich verspreche es Ihnen. Bitte rufen Sie nicht an!

Besitzerin: Nein, nein, schon gut. Aber warum mußte das passieren! Ich meine. . . Also, einverstanden. Ich werde Ihnen helfen. Ich kann Sie nicht einfach hier liegenlassen. Warten Sie eine Sekunde auf Ihrem Bett. Ich komme sofort zurück.

Klaßen: Wohin gehen Sie? Rufen Sie die Polizei?

Besitzerin: Aber nein, ich verspreche es Ihnen. Ich hole ein paar Sachen, um Sie zu pflegen. Ich will Ihnen doch helfen.

Klaßen: Also gehen Sie.

Besitzerin: Ich bin gleich wieder zurück.

Sie geht aus dem Zimmer und in einigen Minuten ist sie wieder zurück.

Besitzerin: Sehen Sie? Ich habe alles, was wir brauchen. Bleiben Sie liegen. Ich will mir die Wunde ansehen. . . Die Kugel ist noch in Ihrer Schulter. Ich bin kein Doktor. Ich kann sie nicht herausholen. Ich werde alles auswaschen. Ich will es versuchen. . . So, das sieht schon besser aus. Und es blutet nicht mehr so stark. Schmerzt es sehr?

Klaßen: Es schmerzt nicht mehr so stark. Vielen Dank, ich danke Ihnen sehr. Sie sind sehr freundlich.

Besitzerin: Warten Sie, ich bin noch nicht fertig.

Polizist: *(ruft)* Ist hier jemand? . . . Ist hier jemand?

Besitzerin: Was gibt es denn schon wieder? Oh, wissen Sie. Manchmal sind die Gäste. . . .

Polizist: Hallo . . . Ist hier jemand?

Besitzerin: Puh. . .wer ist das nur? Warten Sie eine Sekunde. Ich will sehen, wer da ist. Ich bin gleich wieder zurück.

Besitzerin: Was ist los? Was wollen Sie?

Polizist: Polizei.

Besitzerin: Polizei? Was ist passiert?

Polizist: Vielleicht nichts. Ich weiß es noch nicht. Aber vielleicht können Sie mir helfen.

Besitzerin: Ihnen helfen? Wieso?

Polizist: Ich bin gestern nachmittag einem Mann gefolgt. Aber er ist weggelaufen. Ich habe ihn aus den Augen verloren.

Besitzerin: Na und? Das ist doch nicht mein Fehler.

Polizist: Er ist nicht zufällig hier? Ich habe schon in mehreren Hotels nachgefragt.

Besitzerin: Hm. . .ich habe einige Gäste hier aber. . .

Polizist: Er heißt Klaßen. Thomas Klaßen. Ist er hier?

Besitzerin: Klaßen? Nein. Ich habe niemanden hier, der so heißt.

Polizist: Sind Sie sicher?

Besitzerin: Ich sagte es Ihnen doch. Wenn Sie mir nicht glauben, sehen Sie doch in meinem Gästebuch nach. Hier, hier haben Sie es. Sie können es nachprüfen.

Polizist: Vielleicht hat er Ihnen einen falschen Namen angegeben. Der Mann ist ungefähr sechzig Jahre alt. Er hat graue Haare. Er ist nicht sehr groß. Deutscher. Sagt Ihnen das nichts?

Besitzerin: Nein, und ich habe auch keine Deutschen hier. Ich habe einen Engländer, aber keinen Deutschen.

Polizist: Na dann. . .vielen Dank. Ich werde es in einem anderen Hotel versuchen.

Besitzerin: Ich bedaure, aber ich kann Ihnen nicht helfen. Auf Wiedersehen. Gute Nacht.

Polizist: Was haben Sie denn an Ihrem Ärmel? Blut?

Besitzerin: Ja, ach ja. Das habe ich nicht bemerkt.

Polizist: Wovon kommt das?

Besitzerin: Oh, das ist nichts, gar nichts. Das ist von meinem Mann. Er hat sich geschnitten. Er hat sich beim Rasieren geschnitten.

Polizist: Er rasiert sich mitten in der Nacht?

Besitzerin: Aber nein, vor zwei Stunden, oder vielleicht drei. Ich weiß es nicht mehr. Und ich weiß auch nicht, wie das passiert ist. Er hat mir nur gesagt: „Ich habe mich geschnitten, hilf mir." Das ist alles.

Polizist: So war das also, Sie haben ihm geholfen. Und dabei haben Sie etwas Blut auf Ihren Ärmel bekommen. Und das war vor zwei oder drei Stunden, sagen Sie?

Besitzerin: Ja. . .ich glaube.

Polizist: Aber das Blut auf Ihrem Ärmel ist ganz frisch. Das muß vor ein paar Minuten passiert sein. Kommen Sie, gnädige Frau, sagen Sie mir die Wahrheit.

Besitzerin: Ich habe Ihnen die Wahrheit gesagt.

Polizist: Nein. Hier der Beweis. Das Blut auf Ihrem Ärmel ist noch ganz frisch. Und außerdem, als ich ins Hotel kam, habe ich Sie mehrmals gerufen. Ich habe zwei oder drei Minuten gewartet. Dann sind Sie aus einem Zimmer gekommen. Richtig oder falsch?

Besitzerin: Das ist richtig. Na und?

Polizist: Sie wohnen doch nicht in diesen Zimmern? Oh nein. Ihre Wohnung, Ihr Zimmer, Ihre Küche, das sehe ich von hier. Das ist alles hinter der Empfangshalle und nicht dort oben.

Besitzerin: Was wollen Sie eigentlich? Ich habe ein bißchen Blut auf meinem Ärmel. Na und? Ist das etwa verboten?

Polizist: Nein, aber Sie haben gelogen.

Besitzerin: Ich?

Polizist: Wir werden ja sehen. Bringen Sie mich bitte in das Zimmer dort oben. Ich werde Ihrem Mann „guten Tag" sagen. Ich will sehen, ob es Ihrem armen Mann auch gut geht. Kommen Sie, gehen wir. Nach Ihnen, bitte. . . .

Fragen

1. Woran erinnern Bernd die Lichtstreifen auf dem Sand?
2. Warum ist Brigitte traurig?
3. Was kann passieren, wenn Bernd und Brigitte zum Hotel zurückkehren?
4. Wo werden Bernd und Brigitte fünfzehn Stunden später sein?
5. Wo ist die Hotelbesitzerin, als Klaßen sie ruft?
6. Will der Professor, daß man die Polizei ruft?
7. Ist in dem Gästebuch ein deutscher Name?
8. Was hat die Hotelbesitzerin an ihrem Ärmel?
9. Woran sieht der Polizist, daß die Hotelbesitzerin lügt?

17 Der gelbe Hund

Klaßen wartet in seinem Zimmer auf die Rückkehr der Hotelbesitzerin. Er hört Stimmen. Jetzt hört er Schritte auf der Treppe. Wer kommt da? Er hat Angst. Mit großer Anstrengung steht er auf. Er geht an die Tür. Die Schritte kommen näher. Er schließt die Tür ab. Nun halten die Schritte an. Ruhe. . .Dann . . .

Polizist: Wie bitte? Ihr Mann schließt sich in seinem Zimmer ein?

Besitzerin: Hm. . .ich weiß nicht. . .

Polizist: Das ist genug. Öffnen Sie die Tür.

Besitzerin: Ich habe den Schlüssel nicht.

Polizist: Öffnen Sie.

Besitzerin: Sie werden die Tür zerschlagen!

Polizist: Dann öffnen Sie doch. Das ist einfacher.

Besitzerin: Öffnen Sie! Ich bin es.

Klaßen betrachtet das offene Fenster. Die anderen sind dort hinausgesprungen. Aber sie sind jung. Und er ist auch verletzt. Also legt er sich zurück auf sein Bett und wartet. Die Hotelbesitzerin ruft ihn. Der Polizist schlägt weiter gegen die Tür. Der Polizist erkennt Klaßen auf seinem Bett. Er wirft sich auf ihn.

Besitzerin: Passen Sie doch auf. Er ist verletzt.

Klaßen: Oh, Sie! Sie sind ja so gemein. . .

Polizist: Ich habe Sie nun, Herr Klaßen.

Klaßen: Gemein, jawohl. Sie sind eine gemeine. . .

Polizist: Aber. . .aber. . .

Klaßen: Sind Sie nun zufrieden? Sie haben mich ausgeliefert. Oder vielleicht haben Sie mich verkauft? Wieviel hat er Ihnen bezahlt?

Besitzerin: Gar nichts. Er war es. Er ist ins Hotel gekommen. Er hat mich gezwungen. Ich habe nichts gesagt.

Klaßen: Wieviel, hm. . .? Wieviel?

Besitzerin: Warum sagen Sie das? Er hat mir kein Geld gegeben. Ich habe nichts gesagt. Ich habe sogar versucht. . .

Klaßen: Oh ja, natürlich!

Polizist: Das ist genug. Und außerdem irren Sie sich. Sie hat die Wahrheit gesagt. Ihnen hat sie die Wahrheit gesagt. Mich hat sie belogen. Sie hat mir gesagt, daß ihr Mann in diesem Zimmer ist.

Besitzerin: Das stimmt, mein Herr. Das stimmt. Ich habe alles versucht.

Polizist: Nun aber Schluß. Ich nehme Sie fest, Klaßen. Folgen Sie mir bitte.

Besitzerin: Aber er ist verletzt. Wir müssen ihm helfen.

Polizist: Ich werde ihn ins Krankenhaus bringen. Können Sie laufen?

Klaßen: Ja, ich glaube. Ich weiß es nicht.

Polizist: Versuchen Sie es. Ich helfe Ihnen. Stehen Sie auf.

Klaßen steht auf mit der Hilfe des Polizisten. Die Hotelbesitzerin nähert sich ihm.

Besitzerin: Nur Mut, mein Herr, nur Mut. Glauben Sie mir nun? Sagen Sie mir, daß Sie mir glauben.

Klaßen: Dort auf der Kommode ist Geld.

Besitzerin: Ich will kein Geld!

Klaßen: Nehmen Sie es. Für das Zimmer. . .Und für die zerbrochene Tür. Es war mein Fehler.

Besitzerin: Nein, danke, ich will es nicht.

Polizist: Kommen Sie nun. Gehen wir!

Besitzerin: Passen Sie bitte gut auf. Er ist verletzt. . . .bitte?!

Polizist: Hallo, hier Wagen 212. Ich rufe Inspektor Ayala. . .Hier Wagen 212. . .Bitte kommen. . .Herr Inspektor. Ja, ich habe ihn festgenommen. Er war in einem kleinen Hotel. Ja, dort habe ich ihn gefunden. Aber er ist verletzt. . .Nein, nein, er war schon verletzt, als ich ihn fand. Ein Revolverschuß in die Schulter. Ich bringe ihn ins Krankenhaus, einverstanden?. . . . Ich bringe ihn sofort ins Krankenhaus. Ich werde ihn dort verhören. Ende.

Klaßen: Sie haben gesagt, daß ich allein war. Warum?

Polizist: Sie waren doch allein, oder nicht?

Klaßen: Ja, aber warum haben Sie gesagt, daß. . .

Polizist: Wir werden Sie später verhören.

Klaßen: Stimmt es, daß die Hotelbesitzerin. . .

Polizist: Ja, es stimmt. Ich war unten. Sie ist heruntergekommen. Sie hat mir Geschichten erzählt, aber nicht die Wahrheit. Dann habe ich das Blut auf ihrem Ärmel gesehen. Sie hat gesagt, daß ihr Mann verletzt ist. Sie sagte, daß Sie ihr Mann sind.

Klaßen: Werden Sie mich festnehmen?

Polizist: Das sehen wir später. Jetzt fahren wir zum Krankenhaus. Das ist wichtiger.

Der Polizist fährt schneller. Das Auto fährt mit hoher Geschwindigkeit durch die Straßen der Stadt.

Wir sind wieder am Strand. Bernd und Brigitte sind immer noch dort. Sie wollen bis zum Morgen bleiben. Der Mond, der über den Palmen zu sehen war, ist nun hinter den Bäumen verschwunden. Aber es ist immer noch Nacht. Sie liegen im Sand. Plötzlich setzt Brigitte sich hin.

Brigitte: Und der Revolver?

Bernd: Was ist mit dem Revolver?

Brigitte: Hast du ihn nicht in Klaßens Zimmer gelassen?

Bernd: Nein, ich habe ihn hier.

Brigitte. Wir dürfen ihn nicht behalten. Wir müssen ihn wegwerfen.

Bernd: Ja, du hast recht. Ich will das gleich tun.

Brigitte: Wohin willst du ihn tun?

Bernd: Ich werde ihn im Sand verstecken. Ich mache ein Loch in den Sand, ein tiefes Loch.

Brigitte Ich helfe dir. *(Pause)* Ist das genug?

Bernd: Nein, tiefer. *(Pause)* Das ist genug.

Sie werfen den Revolver in das Loch. Dann nehmen sie den Sand und machen das Loch zu.

Bernd: So, das ist erledigt. Das war eine gute Idee. Jetzt sind wir sicher. Keinen Revolver, keine Kisten, jedenfalls nicht auf unseren Namen. Sie sind auf Klaßens Namen.

Brigitte: Ich hoffe, er hat nicht gesprochen. An seiner Stelle, ich meine...

Bernd: Was ist denn das?

Brigitte: Was?

Bernd; An meiner Hose.

Brigitte: Aber. . .das ist Blut! Blutest du?

Bernd: Nein, ich blute nicht.

Brigitte: Wovon kommt denn das Blut?

Bernd: Das kommt sicher von Klaßen.

Brigitte: Wie konnte das passieren?

Bernd: Ich erinnere mich nun. Ich habe ihn gehalten. Er ist gefallen. Ich bin auf ihn gefallen. Da war er schon verletzt. Wir lagen auf dem Boden, ich auf ihm. Mein Knie lag auf seiner Schulter. Und so ist es passiert.

Brigitte: Wir müssen das Blut entfernen. Das wird nicht so einfach sein.

Bernd: Blut ist nicht so einfach zu entfernen.

Brigitte: Es muß gehen. Wir wollen es mit Meerwasser versuchen.

Sie stehen auf und gehen zum Meer. Sie versuchen, das Blut mit Meerwasser zu waschen.

Brigitte: Ich glaube, das geht.

Bernd: Nein.

Brigitte: Ja doch; sieh nur...

Bernd: Aber nein. Es sieht nur so aus, weil das Wasser die Hose dunkler färbt. Aber der Flecken ist immer noch da.

Brigitte: Ja, du hast recht. Zu dumm. . .Alles schien so einfach, so schön! Wir waren fast. . .wir waren fast schon in Hamburg. Und nun das Blut, wenn die Polizei uns sucht. . .wenn sie das Blut auf deiner Hose sieht...

Bernd: Aber Brigitte, mein Schatz, das ist doch nicht schlimm. Noch einige Stunden, dann sind wir im Flugzeug.

Hinter ihnen kommt ein Hund. Er bellt. Brigitte dreht sich um.

Brigitte: Puh. . .habe ich mich erschrocken!

Bernd: Wo kommt der auf einmal her? Verschwinde, dummer Köter, verschwinde. Willst du nun verschwinden, blöder Köter!

Bernd wirft eine Hand voll Sand nach dem Hund. Dieser läuft weg.

Brigitte: Wo kommt der nur her?

Bernd: Vor einer Minute war er noch nicht hier. Und dann plötzlich bellt er wie verrückt. Nun ist es still; er ist weg.

Der Hund läuft am Strand entlang, zu den Palmen, aber plötzlich bleibt er stehen.

Brigitte: Nein, sieh doch, er ist dort drüben.

Bernd: Was macht er?

Der Hund scharrt ein Loch in den Sand.

Bernd: Der Revolver! Er hat den Revolver gefunden. So ein Vieh...

Der Hund scharrt, wirft Sand hinter sich. Bernd nimmt Brigittes Hand. Sie laufen zu dem Hund.

Bernd: Verschwinde, dummer Köter!

Der Hund beachtet sie nicht. Der Revolver, der unter dem Sand war, ist nun in der Mitte des Lochs sichtbar.

Brigitte: Das ist ein Polizeihund.

Bernd: Aber nein, aber nein. Los, verschwinde!

Bernd versucht, den Revolver zu nehmen. Aber der Hund verteidigt das Loch. Bernd wirft Sand nach ihm. Der Hund läuft um Bernd und Brigitte herum.

Bernd: Was hat der Köter nur?

Brigitte: Wir müssen hier weg. Vielleicht ist es ein Polizeihund.

Bernd: Aber nein. Wenn die Polizei hier ist. . . Nein, das ist nur ein Hund, der frei herumläuft. Das ist alles.

Brigitte: Aber er mag uns nicht. Wir müssen hier weg.

Bernd: Wie du willst. Es wird auch schon hell.

Bernd wirft Steine nach dem Hund. Der Hund ist gelb. Er hat einen roten Flecken auf dem Rücken. Er läuft weg. Aber bald kommt er zurück.

Bernd: Komm!

Brigitte: Nein.

Bernd: Aber du wolltest doch weg?

Brigitte: Nein, Bernd, ich kann nicht.

Bernd: Komm, sage ich dir.

Brigitte: Oh, dieser Hund. . .dieser blöde Hund!

Bernd: Du wirst doch nicht weinen, oder?

Brigitte: Wir waren so glücklich, du und ich. . .dieser Hund! Und dann . . .Klaßen ist verletzt. Die Polizei. Und dann dieser Hund, der die ganze Zeit bellt. Was tun wir noch hier?

Bernd: Wir warten auf das Flugzeug nach Hamburg.

Brigitte: Du bist aber optimistisch!

Der Hund kommt näher.

Brigitte: Blöder Hund!

Brigitte nimmt einen Stein und wirft ihn nach dem Hund. Dieser läuft weg, aber dann kommt er noch näher.

Brigitte: Verstehst du immer noch nicht? Sie werden uns festnehmen. Die Polizei wird uns finden.

Bernd: Das ist kein Polizeihund.

Brigitte: Das ändert nichts. Er ist hier. Er wird alle Leute aufwecken. Jemand wird uns sehen und die Polizei rufen. Töte ihn, ich bitte dich, töte ihn!

Bernd: Was? Auf ihn schießen? Das wird bestimmt alle Leute aufwecken.

Brigitte: Gehen wir nun. Wir müssen sofort hier weg. Hör zu Bernd, wir müssen aufgeben. Wir müssen uns retten, die Stadt verlassen. Jawohl, wir müssen sofort die Stadt verlassen.

Bernd: Und Herbert? Und die Kisten?

Brigitte: Herbert kann nichts für uns tun. Er ist nicht hier. Hier ist nur der schreckliche gelbe Hund und die Polizei. Nein, wir müssen die Stadt verlassen, und nicht mit dem Flugzeug, mit dem Bus. Wir können die Zollgenehmigung mit der Post schicken.

Bernd: Mit der Post? Das dauert eine Woche. Nein. Ich bin dagegen. Brigitte, hör zu. . .Du bist nervös, du bist müde, aber wir müssen zurück nach Hamburg, mit den Kisten. Du und ich. Willst du?

Brigitte: Ja. . .du und ich.

Bernd: Also fliegen wir nach Hamburg. Wir nehmen heute morgen das Flugzeug. Und zwölf Stunden später sind wir in Hamburg. Du hast doch Herbert angerufen, oder nicht?

Brigitte: Ja, natürlich.

Bernd: Und du hast ihm gesagt, daß wir mit dem Flug Nummer 852 kommen. Mit den Kisten. . .Na also. Wir müssen mit den Kisten nach Hamburg! Und dann bekommen wir auch unser Geld. Herbert schuldet uns das, denke ich. . .mit oder ohne Hund.

In einem Krankenhaus behandelt ein Arzt Professor Klaßen Er ist ruhiger, er hat nicht mehr so starke Schmerzen. Er sitzt auf einem Stuhl in einem Büro. Der Polizist verhört ihn.

Polizist: Also, was ist passiert? Wer hat auf Sie geschossen?
Klaßen antwortet nicht.

Polizist: Wer hat Sie verletzt? Wer war in Ihrem Zimmer?

Klaßen: Niemand.

Polizist: Waren es Deutsche? Wer war es? Wer hat auf Sie geschossen? Sie wissen es. Also antworten Sie, ich will Ihnen doch helfen.

Klaßen: Ich weiß es nicht.

Polizist: Sie wissen es nicht? Aber wir, wir wissen eine Menge. Aber etwas wissen wir nicht. Wer hat auf Sie geschossen? Und warum? So reden Sie doch. Wer war in Ihrem Zimmer?. . .So sagen Sie es doch!

Fragen

1. Warum kann Professor Klaßen nicht aus dem Fenster seines Zimmers springen?
2. Ist der Mann der Hotelbesitzerin in dem Zimmer?
3. Sagt der Polizist dem Inspektor per Telefon Bescheid?
4. Wohin fährt der Polizist zuerst?
5. Ist der Revolver noch in Klaßens Zimmer?
6. Was machen Bernd und Brigitte mit dem Revolver?
7. Wovon kommt das Blut an Bernds Hose?
8. Womit wäscht Brigitte die Blutflecken?
9. War der Hund die ganze Nacht am Strand?
10. Wie sieht der Hund aus?
11. Warum will Bernd den Hund nicht töten?
12. Erzählt der Professor, wer auf ihn geschossen hat?
13. Was weiß die Polizei nicht?

18 Das Geständnis

Die Sonne geht auf. Es ist Tag. Bernd und Brigitte haben die Nacht am Strand verbracht. Nun gehen sie zur Stadt zurück.

Bernd: Du wirst sehen. . .Noch einige Stunden, dann sind wir im Flugzeug nach Hamburg. Wir werden die Flugkarten holen und. . .

Brigitte: Ich glaube, wir müssen drei Flugkarten holen.

Bernd: Drei?

Brigitte: Du vergißt unseren reizenden Begleiter, den Hund.

Bernd: Was? Ist der immer noch da? Willst du uns wohl in Ruhe lassen, dummer Hund? Was hat er nur?

Brigitte: Wenn er uns weiter folgt, werde ich wahnsinnig.

Bernd: Leider habe ich meinen Revolver nicht mehr, sonst...

Brigitte: Sprich bitte nicht von dem Revolver.

Bernd: Wir werden den Hund einfach nicht mehr beachten.

Brigitte: Ihn nicht mehr beachten? Aber er folgt uns doch die ganze Zeit.

Bernd: Dann tun wir eben so, als ob es unser Hund ist.

Brigitte: Unser Hund? Er bellt doch. Er zeigt die Zähne. Man sieht doch, daß er uns nicht mag.

Bernd: Komm jetzt. Wir müssen in die Stadt. Wir müssen unsere Flugkarten holen. Wir haben nicht mehr viel Zeit.

Bernd und Brigitte und der gelbe Hund gehen ins Stadtzentrum.

Im Krankenhaus verhört der Polizist Klaßen. Vorhin war der Polizist allein. Jetzt ist da noch ein Zollbeamter. Aber der Polizist stellt die Fragen.

Polizist: Wollen Sie immer noch nicht sprechen?

Klaßen: Ich habe nichts zu sagen.

Polizist: Sie waren nahe der Grenze, nicht wahr?

Klaßen: An der Grenze. . .? Nein.

Polizist: Waren Sie allein?

Klaßen: Ja.

Polizist: Sie lügen. Sie haben Gehilfen, das ist sicher. Warum schützen Sie sie?

Klaßen: Gehilfen? Ich? Warum? Ich habe nichts unrechtes getan. . .

Zollbeamter: Na gut, Herr Klaßen. Sprechen wir von etwas anderem. Sprechen wir von Ihren Kisten. Von den drei Kisten, die Sie nach Hamburg schicken wollen. Was ist in den Kisten?

Klaßen: Das habe ich doch auf die Zollerklärung geschrieben.

Zollbeamter: Ja, ich weiß; aber Ihre Zollerklärung ist falsch. Sehen Sie, mein Herr, wir glaubten Ihnen nicht. Wir waren nicht sicher. Also haben wir die Kisten geöffnet.

Klaßen: Wann?

Zollbeamter: Nachdem Sie weggegangen sind, natürlich, nachdem Sie den Flughafen verlassen haben. Ich hatte ja Zeit genug und ich habe alles entdeckt. Also erzählen Sie uns keine Geschichten. Ich will die Namen Ihrer Gehilfen. Da waren noch andere Leute, das ist sicher. Und wenn Sie mir ihre Namen geben, ...wird die Polizei vielleicht nicht so streng mit Ihnen sein. Verstehen Sie?

Polizist: Also? Wer war mit Ihnen? Wer hat Sie verletzt? Sprechen Sie, dann können wir Ihnen helfen.

Klaßen: Mir helfen? Wie?

Polizist: Ein Auge zudrücken, mehr oder weniger.

Klaßen: Warum?

Zollbeamter: Weil wir nicht Sie suchen. Wir suchen Ihren Chef, Ihre Bande, Ihre Gehilfen.

Polizist: Also?

Klaßen: Gut. Hm...wenn Sie seinen Namen wollen, gebe ich ihn Ihnen. Es ist Herbert Hartmann, ein gewisser Herbert Hartmann. Er hat das alles organisiert.

Zollbeamter: Hartmann?

Klaßen: Ja, er wohnt in Hamburg.

Polizist: Nein, nein, nein. Da war jemand anders mit Ihnen, und zwar hier. Sie waren nicht allein. Sie haben eine oder zwei Personen, die Ihnen helfen. Ich bin da sicher. Also wer ist es?

Klaßen: Ich sagte Ihnen doch, Hartmann ist der Chef.

Polizist: Und wer hat auf Sie geschossen? Das war nicht Hartmann; er ist doch in Hamburg. Er war doch nicht hier gestern abend. Nun kommen Sie schon, Herr Klaßen, ich gebe Ihnen noch eine Chance. Wer war gestern abend in Ihrem Hotelzimmer? Entweder Sie antworten mir jetzt oder Sie können darüber im Gefängnis nachdenken. Ich glaube, Sie haben mich verstanden. Ich gebe Ihnen noch fünf Sekunden.

Klaßen: Ich bin müde.

Polizist: Drei Sekunden...

Klaßen: Also ja. . .ich hatte Gehilfen.

Polizist: Ihre Namen?

Klaßen: Bernd Schulz. Brigitte Jacobs.

Polizist: Eine Frau?

Klaßen: Ja. Aber sie sind unschuldig. Der wirklich schuldige Mann ist Herbert Hartmann. Ich sagte es schon. Und ich wiederhole es.

Polizist: Warum verteidigen Sie die Beiden?

Klaßen: Weil sie nicht schuldig sind, nicht mehr als ich.

Zollbeamter: Aber Sie haben doch geschmuggelt.

Klaßen: Ja, aber für Hartmann, nicht für uns.

Polizist: Aber wenn dieser Mann und diese Frau Ihre Freunde sind, warum haben sie Sie dann verletzt?

Klaßen: Es war ein Unfall. Sie waren in meinem Zimmer. Bernd Schulz wollte die Zollgenehmigung haben. Ich wollte sie ihm nicht geben. Dann...puh....dann haben wir uns geschlagen. Er hatte einen Revolver. Und dann ist der Revolver von alleine losgegangen.

Polizist: Von alleine?

Klaßen: Ja, es war ein Unfall. Sie sind nicht meine Freunde. Aber ich wiederhole, es war ein Unfall.

Polizist: Hören Sie. . .Sie verteidigen sie und das ist sehr nett von Ihnen. Ich glaube Sie sind ehrlich und sagen die Wahrheit. Ich will Ihnen gerne helfen. Ich werde mein Möglichstes tun.

Zollbeamter: Auch ich will Ihnen helfen. Aber Sie müssen uns zuerst helfen.

Klaßen: Ihnen helfen? Was wollen Sie denn noch von mir?

Zollbeamter: Später, Herr Klaßen, später.

Polizist: *(ruft)* Schwester, bitte...

Krankenschwester: Ja, was gibt's?

Polizist: Sagen Sie, kann der Herr nun das Krankenhaus verlassen?

Krankenschwester: Ja, ich glaube, es geht. *(zu Klaßen)* Na, mein Herr? Fühlen Sie sich nun besser?

Klaßen: Ja, es schmerzt nicht mehr so sehr. Es geht besser.
Polizist: Gut. Kommen Sie. Gehen wir.

Inzwischen sind Bernd und Brigitte in der Stadt angekommen. Sie sind in der Nähe des Stadtzentrums. Das ist das Stadtviertel, in dem sich viele Geschäfte, Hotels, Banken und Büros befinden.

Bernd: Es ist fünfundzwanzig Minuten nach acht, fast schon halb neun. Ich glaube, die Büros der Fluggesellschaften werden gleich öffnen.
Brigitte: Ich hoffe, daß das Flugzeug noch nicht besetzt ist.
Bernd: Wir haben keine Hochsaison, wir bekommen sicher noch einen Platz.
Brigitte: Ich glaube, wir sehen sehr verschlafen aus nach der Nacht am Strand.
Bernd: Und nach einigen Tagen im Gefängnis.
Brigitte: Ich möchte nun meinen Koffer haben, dann kann ich meine Kleider wechseln.
Bernd: Das stimmt. Wir sehen nicht sehr vornehm aus. Aber was willst du machen?
Brigitte: Hast du gesehen? Der Hund folgt uns immer noch.
Bernd: Der Köter regt mich auf.
Brigitte: Wenn er uns weiter folgt, werde ich verrückt. Und da ist auch schon ein Polizist.
Bernd: Na und? Verhalte dich normal.
Brigitte: Aber er betrachtet uns.
Bernd: Ja, deshalb. . .bitte verhalte dich normal. Außerdem betrachtet er den Hund. Da ist ein Reisebüro. Wir gehen schnell hinein und schließen die Tür hinter uns. Komm, mach schnell! *(zu dem Hund)* Tschüß mein Lieber.
Brigitte: Tschüß, mein Süßer.

Draußen bellt der Hund. Dann hört er auf; er denkt nach. Bernd und Brigitte gehen zu dem Schalter und wenden sich an einen der Angestellten.

Bernd: Guten Tag.
Angestellter: Guten Tag. Was kann ich für Sie tun?
Bernd: Wir möchten zwei Plätze für den Lufthansaflug heute morgen.

Angestellter: Für Hamburg?
Bernd: Ja.
Angestellter: Für Flug 852? Das ist ein bißchen spät. Wollen Sie nicht lieber morgen fliegen?
Brigitte: Bitte, wir müssen in jedem Fall heute morgen fliegen.
Bernd: Ja, man erwartet uns in Hamburg. Familiengründe, verstehen Sie?
Angestellter: Ich will es versuchen. Ich werde direkt am Flughafen anrufen, das ist besser. . .Hallo, Lufthansa Platzreservierungen? Hier *Agence Quo Vadis*. . .Haben Sie noch zwei Plätze für Flug 852 heute morgen?. . .Ja, für Hamburg. . . . Wie? Einen Moment bitte. *(zu Bernd und Brigitte)* Haben Sie Ihre Rückflugausweise?
Bernd: Ja. Hier.
Angestellter: Danke. *(ins Telefon)* Warten Sie, ich werde es Ihnen gleich sagen. . .Ja, Touristenklasse. Zwei Plätze für Hamburg. . .Ja, ja, ich bleibe am Apparat.
Brigitte: Haben Sie noch Platz?
Angestellter: Ich weiß es noch nicht. Sie wollen nachsehen. Sie hatten eine Warteliste, aber vielleicht haben Sie Glück.
Bernd: Du wirst sehen, es wird gehen; ich glaube, wir haben Glück.

Bernd dreht sich zu der Tür. Der gelbe Hund ist nicht mehr da.

Bernd: Und der Hund ist auch weg.

Aber da ist noch eine zweite Tür, die offen steht. Der gelbe Hund, stolz den Schwanz in der Luft, kommt zu dieser Tür herein. Er setzt sich hinter Bernd und Brigitte. Er zeigt die Zähne. Er bellt.

Brigitte: Oh, . . .nein, das kann doch nicht wahr sein!
Bernd: Verschwinde! Willst du wohl hier verschwinden!
Angestellter: Hallo, ja? . . . Wie? Ich verstehe schlecht.
Brigitte: Hörst du jetzt wohl auf zu bellen?
Angestellter: Hallo? Oh, dieser Hund! Können Sie ihn nicht hinausbringen?
Bernd: Bist du jetzt still!
Angestellter: *(ins Telefon)* Hören Sie, ich kann Sie nicht verstehen. Hier ist ein Hund, der die ganze Zeit bellt; ich rufe zurück.
Brigitte: Haben Sie noch Platz?

Angestellter:	Ich weiß es nicht. Wie soll ich telefonieren können, wenn die ganze Zeit ein Hund bellt? Außerdem ist es verboten, Hunde hereinzubringen.
Brigitte:	Haben Sie aufgehängt? Werden Sie zurückrufen?
Angestellter:	Zurückrufen? Wozu? Ich höre doch nur Ihren Hund.
Brigitte:	Aber er ist nicht unser Hund.
Angestellter:	Und wenn Sie ihn mitnehmen wollen, brauchen Sie Papiere.
Brigitte:	Aber er ist nicht unser Hund!
Bernd:	Hören Sie, mein Herr, entschuldigen Sie bitte, aber ich bitte Sie; rufen Sie bitte die Lufthansa an, bitte. Wann startet das Flugzeug?
Angestellter:	Sie müssen in fünfundvierzig Minuten am Flughafen sein. Und Sie haben noch nicht Ihre Flugkarten.
Bernd:	Rufen Sie bitte noch einmal an.
Angestellter:	Gut. Ich versuche es. Aber bringen Sie ihren Hund zum Schweigen.
	Bernd und Brigitte versuchen, den Hund aus der Tür zu jagen.
Klaßen:	Das ist ja die Straße zum Flughafen!
Polizist:	Genau.
Klaßen:	Bringen Sie mich zum Flughafen? Kann ich das Flugzeug nach Hamburg nehmen?
Polizist:	Ja, wir fahren zum Flughafen. Aber Sie werden nicht das Flugzeug nach Hamburg nehmen, jedenfalls nicht heute.
	Und in dem Reisebüro. . . .
Angestellter:	Ja, Sie bekommen noch Plätze. Aber Sie müssen sich beeilen.
Bernd:	Gut. Wir nehmen ein Taxi. Vielen Dank. Dort ist ja ein Taxi. Taxi!
Brigitte:	Wollen wir nicht erst unser Gepäck im Hotel holen?
Bernd:	Besser nicht. Vielleicht erwartet uns dort die Polizei. Und wir haben auch keine Zeit. . . Zum Flughafen, bitte. So schnell wie möglich!
Brigitte:	Och, wir haben den Hund verloren.
Fahrer:	Entschuldigen Sie, gnädige Frau. Aber ich nehme keine Hunde in mein Taxi.
Brigitte:	Schade, er war so ein netter Hund.

Fragen

1. Warum müssen Bernd und Brigitte vielleicht drei Flugkarten kaufen?
2. Mag der Hund Bernd?
3. Wer verhört Professor Klaßen?
4. Woher weiß der Zollbeamter, was wirklich in den Kisten ist?
5. Kann Professor Klaßen das Krankenhaus verlassen?
6. Wo befindet sich das Reisebüro?
7. Um wieviel Uhr öffnen die Geschäfte und Büros in Merida?
8. Wie konnte der Hund in das Reisebüro kommen, wenn doch die Tür geschlossen ist?
9. Kann man ohne weiteres einen Hund im Flugzeug mitnehmen?
10. Wird der Professor auch heute morgen mit dem Flugzeug nach Hamburg fliegen?

19 Flug 852

Auf dem Flughafen von Merida. In der Ankunftshalle hinter den Gepäckschaltern für die Passagiere befinden sich die Büros der Fluggesellschaften. Und da ist auch der Schalter der Deutschen Lufthansa. Der Zollbeamte und der Polizist haben Professor Klaßen dorthin gebracht. Sie warten.

Klaßen: Meine Schulter schmerzt...

Polizist: Haben Sie noch ein bißchen Geduld. Sie können gleich in Ihr Hotel zurück.

Lautsprecher: Passagiere für den Lufthansaflug 852 nach Hamburg bitte zum Schalter kommen.

Polizist: Haben Sie gehört? Das ist der letzte Aufruf. Sind Sie sicher, daß sie noch nicht gekommen sind?

Klaßen: Ja.

Zollbeamter: Sind sie denn auf der Passagierliste?

Polizist: Nein, vorhin waren sie noch nicht auf der Liste. Aber ich glaube, sie werden dieses Flugzeug nehmen. Und ich will sie unbedingt sehen.

Zollbeamter: Haben Sie gefragt, ob sie vielleicht angerufen haben?

Polizist: Ja, ich habe eben noch nachgefragt, aber... .Da ist ja eine Stewardeß. Sie war am Schalter. Ich will sie noch einmal fragen. Entschuldigen Sie bitte.

Stewardeß: Ja?

Polizist: Haben sie heute morgen noch weitere Platzreservierungen bekommen?

Stewardeß: Ja, zwei. Ein Herr und eine Dame. Sie haben gerade angerufen.

Polizist: Für Hamburg?

Stewardeß: Ja. Hier ist die Liste. Aber sie sind noch nicht zum Schalter gekommen.

Polizist: Gut, vielen Dank. Sehen Sie, ich hatte recht. Sie werden sicher gleich kommen.

Klaßen: Kann ich jetzt zurück zum Hotel?

Polizist: Nein, Sie müssen warten. Ich brauche Sie. Ich will sicher sein. Sie werden sie mir zeigen. *(zu der Stewardeß)* Sagen Sie, wie lange können Sie noch warten?

Stewardeß:	Wenn sie nicht sofort kommen, dann. . .Wir können nicht mehr länger warten.
Polizist:	Wie lange noch?
Stewardeß:	Höchstens zwei Minuten.
	Währenddessen befinden sich Bernd und Brigitte noch in dem Taxi auf der Straße zum Flughafen.
Bernd:	Können Sie nicht schneller fahren? Wir werden zu spät kommen.
Fahrer:	Was wollen Sie, mein Herr? Mein Taxi fährt so schnell es kann. Es rollt eben nicht schneller. Und außerdem hat das Flugzeug meistens Verspätung, nicht immer aber meistens. Ich bin noch nie mit dem Flugzeug geflogen. Aber der Vetter von meinem Schwager, der fliegt sehr oft. Er ist in der Fußballnationalmannschaft. Also kommt er überall hin. Und er ist auch reich. Aber ich bin lieber Taxifahrer, wissen Sie. Ich liebe das. Und ich liebe mein Taxi. Ich bin lieber Taxifahrer als. . .Zum Beispiel, mein Schwager, er ist Polizist.
Bernd:	Oh, wirklich?
Fahrer:	Aber ich bin lieber Taxifahrer. Ich treffe viele Leute, nette Leute. Aber er! Wissen Sie, er ist Detektiv. Da trifft er Diebe, Verbrecher. . .Zum Beispiel letzte Woche, da waren. . .
Brigitte:	Können Sie nicht ein bißchen schneller fahren?
Fahrer:	Er hat mir alles erzählt. Drei Tote, und überall Blut. Ein Verrückter, der seine Frau und seine zwei Kinder getötet hat, mit einem Messer. Und mein Schwager hat den Mörder gefunden, aber wie! Er kam nicht mehr nach Hause. Er war immer auf der Arbeit. Er hatte keine freie Minute. Und danach soll er drei Tage Urlaub haben. Er war zwei Stunden zu Hause, da rief ihn sein Chef an. Eine neue Affäre. Ich weiß nicht, was es ist. Aber nun ist er wieder sehr beschäftigt. Gestern hat er nicht einmal zu Hause gefrühstückt und zu Abend gegessen. Er ist nicht mehr zu Hause gewesen. Er hat den ganzen Tag in der Stadt verbracht, um einen Mann zu suchen. Ich habe heute morgen meine Schwester gesehen. Sie sagte mir: „Mein Gott, er ist noch nicht nach Hause gekommen.

Er hat die ganze Nacht draußen verbracht!" Also, verstehen Sie meine Schwester ist nicht besonders zufrieden, sie sieht ihn fast nie.

Bernd: Haben Sie Kinder?

Fahrer: Sechs. Da ist schon der Flughafen. Sehen Sie, ich hatte recht. Wir kommen noch früh genug.

Bernd: Sehr gut. Vielen Dank.

Fahrer: Ich habe es Ihnen doch gesagt. Ich bin schließlich ein guter Taxifahrer.

Das Taxi hält an. Bernd bezahlt.

Fahrer: Aber nein, mein Herr, das ist zuviel. Sie haben mir zuviel gegeben.

Bernd: Nein, behalten Sie den Rest.

Brigitte: Hier, nehmen Sie auch die Geldscheine. Wir verlassen das Land. Wir brauchen keine Pesos mehr.

Fahrer: Aber wenn Sie eines Tages zurückkommen? Hören Sie, wenn Sie zurückkommen, hole ich Sie mit meinem Taxi ab. Und dann zeige ich Ihnen die ganze Stadt, ohne Bezahlung. Und. . .ich bringe Sie auch zu den Pyramiden.

Brigitte: Das ist sehr freundlich von Ihnen, aber. . .Komm, Bernd.

Bernd und Brigitte verlassen das Taxi. Sie rennen zu der Abflugshalle des Flughafens. Der Fahrer ruft ihnen zu.

Fahrer: Ich heiße Onesimo, Onesimo Vargas. Taxi Nummer 38. Vergessen Sie das nicht!

Aber Bernd und Brigitte sind schon in der Halle. Sie hören ihn nicht mehr.

Fahrer: He! Da ist ja das Auto von meinem Schwager!

Bernd und Brigitte melden sich am Schalter.

Stewardeß: Haben Sie für Flug 852 gebucht?

Bernd: Ja.

Stewardeß: Dann beeilen Sie sich bitte. Hier sind Ihre Flugkarten.

Bernd: *(zu Brigitte)* Nun ist das Glück auf unserer Seite.

Brigitte: Ich hoffe es. Jedenfalls ist uns der Hund nicht gefolgt.

Stewardeß: Haben Sie kein Gepäck?

Bernd: Nein.

Stewardeß: Überhaupt kein Gepäck?

Bernd: Nein.

Brigitte: Wir hatten zwei Koffer. Aber wir haben sie verloren.

Stewardeß: Dann geht alles sehr einfach und schnell. Ihre Reisepässe, bitte.

Bernd: Unsere Reisepässe?

Stewardeß: Ich muß Ihre Reisepässe sehen, bevor ich die Bordkarten ausfüllen kann.

Bernd: Hier bitte.

Stewardeß: Danke. Einen Moment bitte. Ich komme sofort zurück.

Brigitte: Was macht sie nur? Zuerst hat sie nach unseren Reisepässen gefragt. Und jetzt. . .

Bernd: Das ist normal. . .glaube ich. Für manche Flüge muß man seinen Reisepaß vorzeigen. Alles ist in Ordnung. Gleich werden wir durch den Zoll gehen. Und dann. . . Hamburg.

Stewardeß: Entschuldigen Sie bitte. Wir hatten schon den Schalter geschlossen. Und ich hatte keine Formulare mehr. Ich werde sie auf der Schreibmaschine schreiben. Dan können Sie damit zum Zoll gehen.
Sie rollt die Formulare in die Maschine.

Zur gleichen Zeit, hinter dem Schalter, in dem Büro der Lufthansa. . . .

Polizist: Also, das sind sie?

Klaßen: Aber ja. Sie ist Brigitte Jacobs. Und er ist Bernd Schulz.

Polizist: Ausgezeichnet. Jetzt kenne ich sie. Und jetzt bin ich sicher, daß sie das Land verlassen wollen. Alles verläuft bestens.

Klaßen: Was tun Sie nun?

Polizist: Das ist meine Angelegenheit. Sie gehen nun zurück in die Stadt. Einer meiner Leute wird Sie fahren. Er wird Sie zum Hotel bringen.

Klaßen: Aber. . .

Polizist: Ich sagte Ihnen doch: Sie helfen mir, ich helfe Ihnen. Also, Sie gehen zurück zu Ihrem Hotel. Und Sie bleiben in Ihrem Zimmer. Versuchen Sie nicht, wegzulaufen. Einer meiner Leute wird Sie überwachen.

Klaßen: Was soll ich denn im Hotel tun, wenn ich nicht einmal weggehen kann?

Polizist: Ruhen Sie sich aus. Warten Sie auf mich. Sie werden ja sehen. Ich muß jetzt gehen. In zwei Tagen komme ich zu Ihnen. Und wenn alles gut verläuft, sind Sie frei. Haben Sie verstanden? Keine Dummheiten, nicht wahr, Professor Klaßen?

An dem Schalter der Lufthansa. Die Stewardeß ist fertig mit Schreiben. Sie gibt Bernd und Brigitte die Flugkarten und die Reisepässe.

Stewardeß: Hier bitte. Beeilen Sie sich nun bitte. Gehen Sie bitte mit Ihren Ausweisen zum Zoll.

Brigitte: Wo ist er?

Stewardeß: Der zweite Raum links. Raum B. Gute Reise.

Bernd nimmt Brigitte bei der Hand. Sie laufen zu dem Raum B. Das ist das letzte Hindernis. Wenn sie nun niemand mehr aufhält, können sie das Flugzeug nehmen, das Land verlassen, nach Deutschland zurückkehren. Dann sind sie frei. Ein Beamter prüft ihre Reisepässe und gibt sie ihnen wieder zurück.

Beamter: Bitte, alles in Ordnung.

Bernd: Danke. Komm.

Beamter: Mein Herr, gnädige Frau, bitte, entschuldigen Sie.

Brigitte: Ja, was gibt es?

Beamter: Wollen Sie bitte zurückkommen?

Brigitte: Ist etwas nicht in Ordnung?

Beamter: Sie haben Ihre Bordkarte nicht unterschrieben. Ich habe das nicht gesehen.

Brigitte: Entschuldigen Sie bitte. Wir hatten Verspätung und...

Beamter: Das ist nicht schlimm. Unterschreiben Sie...hier...und hier. Danke und gute Reise.

Bernd und Brigitte gehen zu den anderen Passagieren in die Wartehalle.

Bernd: Siehst du? Da ist unser Flugzeug. Wir werden bald abfliegen. Niemand kann uns mehr aufhalten. Das letzte Hindernis ist überwunden.

Brigitte: Ich hatte Angst, als er uns zurückrief. Aber du hast recht, jetzt sind wir sicher.

Bernd: Und auch der Hund läßt uns nun in Ruhe. Komm, gehen wir zu der Bar. Wir müssen das feiern.

Brigitte: Ja, mir ist es recht.

Stewardeß: Achtung, Achtung. Die Passagiere für Flug 852 nach Hamburg bitte nach Ausgang zwei kommen.

Bernd: Dann eben nicht. Wir trinken später an Bord ein Glas.

Sie gehen mit den anderen Passagieren zum Ausgang. Dann steigen sie in das Flugzeug. Sie gehen zu ihren Plätzen und schnallen sich an. Bald hebt das Flugzeug ab und gewinnt an Höhe. Sie sind auf dem Weg nach Hamburg!

Bernd: Du hast doch Herbert gesagt, daß er uns am Flughafen abholen soll.
Brigitte: Ja, ich habe es ihm gesagt.
Bernd: Gut. Siehst du, unser Auftrag ist beendet. Jetzt gebe ich einen aus. Aha, da kommt ja die Stewardeß. Entschuldigen Sie. . .
Stewardeß: Ja, mein Herr?
Bernd: Können Sie uns bitte etwas zu trinken bringen?
Stewardeß: Ja, was möchten Sie?
Bernd: Haben Sie Sekt?
Stewardeß: Natürlich, mein Herr. Für zwei Personen?
Bernd: Brigitte?
Brigitte: Oh ja, das ist mein Lieblingsgetränk.
Stewardeß: Gut. Ich bringe es sofort.
Bernd: Bist du nun glücklich?
Brigitte: Ja, Bernd, sehr. Du warst sehr lieb zu mir. Im Gefängnis, und dann in Merida, und dann. . .
Bernd: Am Strand?
Brigitte: Ja.
Bernd: Auch du warst sehr lieb zu mir. Kannst du dir das vorstellen? Wir sind auf dem Weg nach Hamburg! Wir trinken unseren Sekt und dann, . . .werde ich mich rasieren.
Brigitte: Dein Kinn ist wie eine Bürste.
Bernd: Na gut. Ich werde mich rasieren und dann gebe ich dir einen Kuß. Und dan schlafe ich bis Hamburg.
Brigitte: Einverstanden. Aber wenn du willst, kannst du mir jetzt schon einen Kuß geben.
Stewardeß: Entschuldigen Sie bitte. Hier ist Ihr Sekt.
Brigitte: Hm, endlich was Gutes zu trinken!
Bernd: Komm, laß uns trinken.
Brigitte: Ich trinke auf dich, Bernd.
Bernd: Auf dich und auf mich. Auf uns, Brigitte; auf uns.

Sie stoßen die Gläser an und trinken.

Bernd: Und dann sind da auch noch die drei hübschen Kisten. Die drei Kisten, die im Flugzeug sind, in *unserem* Flugzeug!

Brigitte: Und ich trinke auch auf unseren kleinen vierbeinigen Freund.

Bernd: Ah! Unser netter Begleiter, der süße Hund. Ich trinke zuerst auf dich, Brigitte, und auf – he, das ist komisch. Da ist ein Steward, in der ersten Klasse. . .Ich bin sicher, ich kenne ihn. Ich habe ihn schon mal irgendwo gesehen. . .

Fragen

1. Wozu braucht der Polizist Professor Klaßen am Flughafen?
2. Ist man als Taxifahrer viel allein?
3. Was für Leute trifft ein Polizist bei seiner Arbeit?
4. Wissen Sie, wen der Schwager des Taxifahrers in den Straßen von Merida gesucht hat?
5. Möchten Bernd und Brigitte gerne mit dem Taxifahrer durch Merida und zu den Pyramiden fahren?
6. Haben Bernd und Brigitte ihre Koffer verloren?
7. Was brauchen Bernd und Brigitte außer den Flugkarten noch?
8. Bringt der Polizist Professor Klaßen zurück ins Krankenhaus?
9. Warum ruft der Bamte in Raum B Brigitte und Bernd zurück?

20 Das Wiedersehen

Stewardeß:	Meine Damen und Herren, wir sind gerade auf dem Flughaben Hamburg-Fuhlsbüttel gelandet. Es ist acht Uhr vierundzwanzig Ortszeit. Die Bodentemperatur beträgt zwölf Grad.
Brigitte:	Hast du gehört, zwölf Grad? Es ist nicht sehr warm in Hamburg.
Bernd:	Vielleicht, aber ich bin froh, daß ich wieder hier bin.
Stewardeß:	Bleiben Sie bitte auf Ihren Plätzen und bleiben Sie angeschnallt bis das Flugzeug steht. Wir hoffen, Sie hatten einen angenehmen Flug. Der Kapitän und seine Mannschaft wünschen Ihnen einen guten Aufenthalt in Hamburg. Wir hoffen, Sie bald wieder bei unserer Fluggesellschaft begrüßen zu können. Wir möchten Sie erinnern, daß ein Bus vor dem Flughafen zu Ihrer Verfügung steht. Bevor Sie das Flugzeug verlassen, versichern Sie sich bitte, daß Sie nichts an Bord vergessen haben. Auf Wiedersehen und vielen Dank.
Brigitte:	Ich glaube, wir können nichts vergessen, wir haben nichts.
Bernd:	Nur ein paar Erinnerungen...
Brigitte:	In unseren drei hübschen Kisten.
Bernd:	Sag mal, du bist doch Experte. War unser Pilot gut?
Brigitte:	Besser als ich.
Bernd:	Aber du bist viel hübscher.
Brigitte:	Und dieses Mal landen wir nicht in San Jeronimo, im Gefängnis, mit Wachtmeister Hernandez.
Bernd:	Schluß mit schwarzen Bohnen und Kartenspielen.
Brigitte:	Das Leben ist schön! Und ich bin sicher, daß Herbert uns einen guten Lohn geben wird.
Bernd:	Das hoffe ich sehr, nach allem, was wir für ihn getan haben.
Stewardeß:	Meine Damen und Herren, Sie können sich nun losschnallen und das Flugzeug verlassen.
Bernd:	Nun sind wir zu Hause. Nun haben wir keine Probleme mehr. Wir brauchen nicht auf Gepäck zu warten. Und wir haben auch nichts zu verzollen, das ist einfach.

Brigitte:	Du vergißt die Kisten.
Bernd:	Ich kann Herbert nicht sehen. Darf er hier vor dem Zoll auf uns warten?
Brigitte:	Ich glaube ja. Ich habe es ihm jedenfalls gesagt.
Bernd:	Gestern, am Telefon?
Brigitte:	Da ist er ja! Er ist dort drüben. Er sucht uns.
	Sie rufen ihn. Herbert Hartmann sieht sie. Er läuft auf sie zu.
Herbert:	Ah, da seid ihr ja. Ist alles in Ordnung? Ich war sehr beunruhigt. Laßt euch umarmen. Zuerst dich, Brigitte... Wo wart ihr so lange? Ich suche euch seit fünf Minuten.
Brigitte:	Wir sind gerade angekommen.
Herbert:	Seid ihr müde?
Bernd:	Wir habem im Flugzeug geschlafen.
Herbert:	Na und? Du hast gestern am Telefon von Kisten gesprochen. Wo sind sie?
Brigitte:	Sie sind im Flugzeug. Sie werden gleich mit dem anderen Gepäck kommen.
Bernd:	Hier hast du die offizielle mexikanische Zollgenehmigung.
Herbert:	Phantastisch! „Kunstgegenstände". Und eine Gehehmigung auf meinen Namen. Aber das ist ja wunderbar!
Bernd:	Das war Klaßens Idee, nicht ganz. Er hatte alles sehr gut für sich selbst vorbereitet, der Lump.
Herbert:	Brigitte hat mir gesagt, daß ihr Schwierigkeiten mit ihm hattet?
Bernd:	Und ob!
Herbert:	Und was ist in den Kisten?
Bernd:	Eine ganze Menge: Masken, Figuren, Vasen.
Brigitte:	Ich glaube, wir haben Glück und Reichtum mitgebracht. Klaßen hat ein paar Sachen genommen, aber sonst...
Herbert:	Aha! Klaßen hat einige Figuren gestohlen?
Bernd:	Er hatte zuerst alles genommen. Er hat uns die Kisten weggenommen.
Herbert:	Da kommen schon die ersten Koffer. Sind eure dabei?
Bernd:	Unsere Koffer? Sie sind auf der anderen Seite des Atlantischen Ozeans. Wir haben sie im Hotel gelassen, weil uns die Polizei gefolgt ist. Wir haben die Nacht am Strand verbracht. Wir haben im letzten Augenblick das Flugzeug erreicht.

Brigitte:	Weißt du, wir glaubten schon, daß alles aus ist.
Herbert:	Was ist denn nur passiert?
Brigitte:	Also, alles verlief bestens. Wir hatten ein bißchen Verspätung. Aber wir hatten drei volle Kisten. Sie waren im Flugzeug. Wir sind nach Kalahun abgeflogen.
Bernd:	Und Klaßen ist mit dem Jeep in Richtung Merida gefahren.
Herbert:	Ja, so war es abgemacht. Und dann?
Brigitte:	Und dann, nach zwei Minuten hat der Motor des Flugzeugs getuckert und stand still.
Bernd:	Brigitte hat eine erstaunliche Landung auf einem Feld gemacht.
Brigitte:	Ich habe aber alles zerbrochen!
Bernd:	Außer den Kisten.
Brigitte:	Zum Glück waren wir nicht verletzt. Wir haben das Flugzeug verlassen. Wir haben ein Dorf gesucht, um dich anzurufen. Wir wollten dir sagen, daß wir eine Menge Sachen gefunden hatten und daß wir Verspätung hatten.
Bernd:	Und dann hat man uns festgenommen.
Herbert:	Festgenommen?
Brigitte:	Ja, von drei Soldaten. Ein Wachtmeister und zwei andere.
Bernd:	Wir haben die Grenze überquert. Wir waren zwei oder drei Tage im Gefängnis. Waren es zwei oder drei Tage, Brigitte?
Brigitte:	Ich weiß es nicht mehr. Weißt du die Zeit im Gefängnis...
Herbert:	Meine armen Freunde...! Ich werde euch einen guten Lohn geben. Und was hat Klaßen gemacht?
Brigitte:	Er war auf der Straße nach Merida. Er hat sicher das Flugzeug gesehen. Er hat gedacht, daß wir einen Unfall hatten. Dann hat er das Flugzeug gefunden. Das sagte er jedenfalls. Er sagte, daß er uns gesucht hat. Aber wir waren nicht mehr da.
Bernd:	Also hat er die Kisten genommen, ganz einfach so. Dann ist er nach Merida gefahren.
Herbert:	Hat er die Kisten Weber angeboten? Ich bin nun sicher! Aber nun haben *wir* die Kisten! Da kommen sie ja! Sind das unsere Kisten?
Bernd:	Ja, ich erkenne sie. Das sind unsere Kisten.

Herbert: Träger! Nehmen Sie die Kisten, bitte. Wir gehen damit zum Zoll.

Brigitte: Hoffentlich geht nun alles gut.

Herbert: Im Prinzip, ja. Ich brauche nichts mehr dafür zu bezahlen. Das sind Antiquitäten. Das größte Problem war der Zoll da drüben in Mexiko. Aber jetzt, hier, im Prinzip ist alles in Ordnung. Kommt, wir gehen durch den Zoll. Und ich verspreche euch, nachher werden wir ein gutes Abendessen mit einer Flasche Sekt haben.

Sie gehen durch den Zoll. Alles verläuft gut. Herbert Hartmann muß nur ein Formular unterschreiben.

Herbert: Und nun, meine Freunde, werden wir reich. Träger, bitte hierher.

Brigitte: Bernd! Sieh doch!

Bernd: Was?

Brigitte: Dort, am Ausgang. Das ist der Mann aus dem Auto in Merida. Ich bin sicher.

Bernd: Ich erinnere mich nun. Ich habe ihn an Bord des Flugzeugs gesehen; der Steward von der ersten Klasse.

Herbert: Was gibt es?

Bernd: Die Polizei. Die Polizei ist uns bis hierher gefolgt. Der Mann in der Stewarduniform, das ist ein mexikanischer Polizist.

Herbert: Bist du sicher?

Brigitte: Ja, ich erkenne ihn.

Herbert: Aber er hat kein Recht. . .

Bernd: Siehst du die beiden Männer dort in Zivil? Ich glaube, das sind deutsche Polizisten.

Der mexikanische Polizist und die zwei Männer in Zivil nähern sich ihnen.

Interpol: Herr Hartmann? Interpol.

Herbert: Aber. . .was gibt es denn? Was wollen Sie von mir?

Interpol: Ich frage Sie, sind Sie Herr Hartmann, Herr Herbert Hartmann?

Herbert: Eh. . .ja, das bin ich. Warum?

Interpol: Wollen Sie uns bitte folgen.

Herbert: Sie wollen mich festnehmen? Mit welchem Recht?

Interpol: Sie werden es bald erfahren.

Herbert: Und wer ist dieser. . .dieser Steward?

Polizist: Entschuldigen Sie meine Uniform, mein Herr. Aber ich bin von der mexikanischen Polizei. Und Interpol arbeitet mit uns zusammen.

Herbert: Sie haben kein Recht...

Interpol: Oh doch, mein Herr. Ich habe eine Anzeige gegen Sie. Hier bitte; Sie sind angeklagt wegen Diebstahl und unerlaubtem Ausführen von Kunstgegenständen von internationalem Interesse.

Herbert: Und die da?

Polizist: Wer? Fräulein Jacobs und Herr Schulz? Wir haben nichts gegen sie, jedenfalls nicht im Moment. Sie sind frei. Und außerdem sind Sie es, der uns interessiert. Darum haben wir auch die Kisten bis zu Ihnen gehen lassen. Um ganz sicher zu sein.. .Um Ihnen zu begegnen, mein Herr. Und ich habe mir schon immer gewünscht, Ihr schönes Land einmal kennenzulernen, Ihre schönen Städte, Ihre Museen...

Interpol: Kommen Sie nun bitte; folgen Sie uns.

Der Träger verfolgt die ganze Szene mit Augen so groß wie Untertassen.

Träger: Und ich? Und die Kisten?

Interpol: Sie können die Kisten am Zoll lassen.

Herbert: Einen Moment. Träger!

Interpol: So kommen Sie doch!

Herbert: Erlauben Sie? Ich will den Träger bezahlen.

Herbert Hartmann nähert sich dem Träger und gibt ihm einen Geldschein.

Interpol: Nein. Hierher. Folgen Sie uns.

Die Polizisten begleiten Herbert Hartmann. Bernd und Brigitte bleiben da. Sie sind nun allein, ohne Gepäck, ohne nichts.

Bernd: Hast du gesehen? Herbert hat dem Träger fünfzig Mark gegeben.

Brigitte: Fünfzig Mark?

Bernd: Er wollte ihm wahrscheinlich zu verstehen geben, die Kisten nicht zum Zoll zu bringen.

Brigitte: Und sie uns zu geben? Schlauer Herbert! Immer derselbe....

Bernd: Wenn ich an die Kisten und all den Reichtum denke....

Brigitte: Vergiß die Kisten und komm. Komm, Bernd. Wir gehen zu mir nach Hause für ein gutes Abendessen.

Bernd: Oh, ja, das stimmt. Im Gefängnis hast du mir ein Abendessen bei dir zu Hause versprochen.

Sie verlassen den Flughafen. Sie nehmen ein Taxi. Sie fahren in die Stadt und bald sind sie in Brigittes Wohnung.

Bernd: Oh, du hast aber eine schöne Wohnung.

Brigitte: Gefällt sie dir?

Bernd: Ja, sehr. Du hast Glück, ein so schönes Apartement zu haben. Und die schöne Aussicht! Aber ich will lieber dich ansehen.

Brigitte: Du bist so lieb.

Bernd: Aber ich kann immer noch nicht die Kisten vergessen.

Brigitte: Du mußt all das vergessen. Wir wollen feiern.

Bernd: Oh ja, aber was wollen wir feiern?

Brigitte: Zuerst unsere Freiheit. Ich habe keinen Sekt, aber da ist Whisky.

Bernd: Einverstanden. Ich lege eine Schallplatte auf, willst du? Ist es wahr? Sind wir wirklich frei? Der Polizist hat gesagt, daß er nichts gegen uns hat.

Brigitte: Natürlich nicht. Wir haben nicht die Kisten, weder hier in Hamburg noch da drüben.

Bernd: Erinnerst du dich? Klaßen hat uns gesagt, daß Herbert ihn bestohlen hat.

Brigitte: Ja, ich erinnere mich. Weißt du, Herbert hat manchmal Affären, die. . .

Bernd: Ich bin sicher, daß Klaßen Herberts Namen bei der Polizei angegeben hat. Er wollte sich rächen. Er wollte sich schützen.

Brigitte: Das stimmt, er mochte Herbert nicht leiden. Er haßte ihn.

Bernd: Und du?

Brigitte: Ich?

Bernd: Liebst du Herbert noch immer?

Brigitte: Bist du verrückt?

Bernd: Das gefällt mir. Also. . .ich trinke auf. . .unsere schöne Reise.

Brigitte: Auf unsere schöne Reise!

Bernd: Ja, wirklich. Unsere Reise war gar nicht so schlecht. Ich war noch nie in Mexiko. Und ich war noch nie im Gefängnis.

Brigitte: Weißt du, was du jetzt noch sagen kannst?

Bernd: Nein.

Brigitte: Und vorher waren wir in Hamburg. Wir kannten uns nicht. Und nun kennen wir uns...

Bernd: Willst du darauf trinken? Ich möchte lieber mein Glas auf den Tisch stellen. Ich will dich in meine Arme nehmen...und dich küssen.

Gesagt, getan...Und sehr lange. Ihre Gläser bleiben gefüllt auf dem Tisch und der Plattenspieler dreht sich, dreht sich.

Fragen

1. Was haben Bernd und Brigitte mit nach Hause gebracht?
2. Wo sind die Koffer von Brigitte und Bernd?
3. Wartet Professor Klaßen am Ausgang des Flughafens auf Herbert Hartmann?
4. Ist der Steward bei der Lufthansa beschäftigt?
5. Warum nimmt die Interpol Herbert Hartmann fest?
6. Wieviel Geld hat der Träger bekommen?
7. Müssen Bernd und Brigitte wieder ins Gefängnis?
8. Wer hat Herbert Hartmanns Namen bei der Polizei angegeben?

Vocabulary

All nouns listed in the vocabulary indicate both the singular and plural forms. *Example: der Anfang, ⸚ e.* The strong or irregular verbs also show the vowel changes in the past and perfect tense. *Example: fahren (u,a).* The vowels in parentheses indicate that the past tense form of *fahren* is *fuhr* and the perfect form (past participle) is *gefahren.*

A

der **Abend, -e** evening
das **Abendessen** supper
abendländisch occidental, western
das **Abenteuer, —** adventure
abenteuerlustig adventurous
aber but
abermals again
abfahren (u,a) to leave, start
die **Abfahrt, -en** departure
abfliegen (o,o) to take off
der **Abflug, ⸚ e** take-off
abgemacht OK, all right
abheben (o,o) to take off, lift off
abholen to go to meet s.o.
abkommen (a.o) to lose
abnehmen (a,o) to lose weight
abrechnen to settle with s.o.
die **Abreise, -n** departure
abschließen (o,o) to lock, settle
absichtlich intentional
ach so oh, I see
acht eight
der **achte** the eighth
achtzehn eighteen
die **Achtung** attention, respect
die **Adresse, -n** address
die **Affaire, -n** affair
Afrika Africa
aha oh, I see
ähnlich like, similar
die **Aktie, -n** stock
alamieren to alarm, alert
albern absurd, ridiculous
alle all
vor **allem** especially, particularly
allerdings indeed, certainly
als when, than
also so, therefore
alt old
Amerika America
am (an dem) on the, at the
anbieten (o,o) to offer
andere other
ändern to change
der **Anfang, ⸚ e** beginning, start
anfangen (i,a) to start, begin
der **Anfänger,—** beginner
angeben (a,e) to declare
das **Angebot, -e** offer
die **Angelegenheit, -n** affair, business
der **Angestellte, -n** employee
die **Angst, ⸚ e** anxiety, fear
anhalten (ie,a) to stop
per **Anhalter fahren** to hitchhike
anklagen to accuse
ankommen (a,o) to arrive
die **Ankunft, ⸚ e** arrival
anmelden to announce, declare, place (a phone call)
annehmen (a,o) to take, suppose, accept
der **Anruf, -e** phone call
anrufen (ie,a) to call
der **Anrufer, —** caller
anschauen to look at
der **Anschluß, ⸚ sse** connection
anschnallen to buckle up
ansehen (a,e) to look at
anstoßen (ie,o),die Gläser to toast
die **Anstrengung, -en** effort
der **Antiquar, -e** antiquity dealer
die **Antiquität, -en** antiques
der **Antiquitätenhändler, —** dealer in antiques
die **Antwort, -n** answer
antworten to answer
die **Anzeige, -n** denunciation
jem. **anzeigen** to report, bring charge against s.o.
der **Anzug, ⸚ e** suit
anzünden to light
der **Apparat, -e** receiver, phone
April April
die **Arbeit, -en** work, job
arbeiten to work
arbeitslos unemployed
die **Arbeitssuche, -n** looking for a job
der **Archäologe, -n** archeologist
sich **ärgern** to be angry
der **Arm, -e** arm
die **Armee, -n** army
der **Ärmel, —** sleeve
armselig miserable, poor

der Artikel, — article
der Arzt, ⸚e doctor
das As, -se ace
der Ast, ⸚e branch
der Atem breath
die Atmosphäre, -n atmosphere
auch also, too
auf und davon sein to get away, take off
Auf Wiedersehen! Good by!
Auf Wiederhören! Good by! *(on the telephone)*
aufbewahren to store, keep
der Aufenthalt, -e stop, stay
aufgeben (a,e) to check, give up
aufgehen (i,a) to rise
aufhalten (ie,a) to delay, stop
die Augen aufhalten to keep the eyes open
aufhängen (i,a) to hang up
aufhören to stop
aufmerksam attentive
aufpassen to watch out, pay attention
der Aufprall, -e bounce
sich aufregen to get upset
der Aufruf, -e call
aufsammeln to pick up
aufschlagen (u,a) to hit, strike, open
aufstehen (a,a) to get up, to stand up
der Auftrag, ⸚e order
aufwecken to wake up
das Auge, -n eye
ein Auge zudrücken to shut one's eyes at
der Augenblick, -e moment
aus out of, from
die Ausfuhr, -en export
die Ausfuhrgenehmigung, -en export authorization, permission to export
ausführen to export
ausfüllen to fill out
der Ausgang, ⸚e exit
einen ausgeben to offer a glass
ausgeschlossen impossible
ausgezeichnet excellent
die Ausgrabung, -en excavation
die Ausgrabungsstätte, -n excavation place
die Auskunft, ⸚e information
das Ausland foreign country
der Ausländer, — foreigner
das Auslandsgespräch, -e phone call *(to foreign country)*
ausliefern to hand, turn over
sich ausruhen to rest, repose
aussehen wie (a,e) to look like
außer except, aside from
außer sich to be furious
außerdem besides
außergewöhnlich extraordinary
außerhalb outside
außerordentlich exceptional
die Aussicht, -en view
ausstehen to endure, bear, stand
Ich kann ihn nicht ausstehen I can't stand him
aussteigen (ie,ie) to get off
auswaschen (u,a) to wash out
der Ausweis, -e identification card
ausziehen (o,o) to take off
das Auto, -s car
automatisch automatically
die Autotür, -en car door
der Autounfall, ⸚e car accident

B

bald soon
die Bande, -n gang
die Bank, -en bank
das Bankkonto, -s bank account
der Bankrott, -e failure, bankruptcy
die Bar, -s bar
bar cash
der Baum, ⸚e tree
beachten to remark, pay attention to
der Beamte, -n employee, official
bedauern to be sorry
bedeuten to mean, signify
bedeutend important
sich beeilen to hurry up
beenden to finish
der Befehl, -e order
sich befinden to be somewhere
sich begeben (a,e) to go
begegnen to meet
begeistert enthusiastic
beginnen (a,o) to start, begin
begleiten to accompany
der Begleiter, — companion
begrüßen to welcome, greet
behalten (ie,a) to keep
behandeln to handle, treat
bei at, nearby
beide both
das Bein, -e leg
jem. ein Bein stellen to trip up s.o.
das Beispiel, -e example
bekommen (a,o) to receive, get
bellen to bark
jem. belügen to lie to s.o.
bemerken to remark, notice
die Bemerkung, -en remark, observation
benachrichtigen to inform
das Benzin, -e gasoline
beobachten to observe
bequem comfortable
bereit ready
bereits already

der **Berg**, **-e** mountain
der **Beruf**, **-e** profession, job
berühmt famous
berühren to touch
beschädigen to damage
sich **beschäftigen** to be busy
der **Bescheid**, **-e** answer, reply
beschleunigen to accelerate
beschuldigen to accuse
die **Beschuldigung**, **-en** accusation
sich **beschweren** to complain
besitzen (a,e) to own
der **Besitzer** owner
besonders especially
besser better
sich **bestechen lassen** to take bribes
die **Bestechung**, **-en** corruption, bribe
bestehen auf (a,a) to insist
bestehlen (a,o) to steal from
bestens the best
bestimmt sure, certainly
der **Besuch**, **-e** visit
besuchen to visit
betrachten to look at
betrügen (o,o) to trick, cheat
der **Betrüger**, — swindler
das **Bett**, **-en** bed
sich **beunruhigen** to worry
bevor before
bewahren to keep
  einen klaren Kopf bewahren to keep a clear head
sich **bewegen** to move
die **Bewegung**, **-en** movement
der **Beweis**, **-e** proof, evidence
beweisen (ie,ie) to prove
bewundern to admire
das **Bewußtsein** consciousness
bezahlen to pay
die **Bezahlung**, **-en** payment
biegen (o,o) to bend, turn
das **Bier**, **-e** beer
billig cheap
bis until
ein **bißchen** a bit, a little
bitte please
bitten (a,e) to ask for
blau blue
das **Blatt**, **¨er** sheet, leaf
blättern to turn the page
bleiben (ie,ie) to stay
der **Bleistift**, **-e** pencil
der **Blick**, **-e** view, look
blöd stupid
bloß only, simply
das **Blut** blood
bluten to bleed
der **Blutflecken**, — blood stain
der **Boden**, **¨** floor, ground
die **Bodentemperatur**, **-en** ground temperature
die **Bohne**, **-n** bean
an **Bord** on board
die **Bordkarte**, **-n** boarding pass
die **Börse**, **-n** stock exchange, market
die **Botschaft**, **-en** message, embassy
die **Branche**, **-n** branch
Braque *French painter*
brauchen to need
bravo good
bremsen to apply (put on) the brakes
der **Brief**, **-e** letter
der **Briefumschlag**, **¨e** envelope
bringen (a,a) to bring
die **Bruchlandung**, **-en** crash landing
Brüssel *capital of Belgium*
der **Bube**, **-n** jack
buchen to record, book
der **Bulle**, **-n** bull (also slang expression for *police*)
das **Bürgermeisteramt**, **¨er** mayor's office
der **Bürgersteig**, **-e** sidewalk
das **Büro**, **-s** office
die **Bürste**, **-n** brush
der **Bus**, **-se** bus

C

das **Café**, **-s** café
die **Chance**, **-n** chance
der **Chef**, **-s** boss
die **Chemie** chemistry

D

da there
dabeisein (a,e) to be present
die **Dame**, **-n** lady
danach after that, later on
daneben next to it
der **Dank** thanks
  Vielen Dank! Thank you!
dankbar thankful
danke thank you
danken to thank
dann then
daran at it, by it, on it
darin there, in it
darstellen to represent
darum that's why
das the, that
dasselbe the same
die **Dauer** period
dauern to last

dauernd continuous
davon of that; off, away
die Decke, -n cover, ceiling
defekt defect
dein your
de nada *(Spanish)* it's nothing
denken (a,a) to think
denn because
deprimiert depressed
der the
derselbe the same
deshalb that's why, therefore
der Detektiv, -e detective
deutsch German
der Deutsche, -n the German
Deutschland Germany
dich you
dicht dense, thick, tight
dick fat
die the
der Dieb, -e thief
der Diebstahl, ¨e robbery
der Dienst, -e service
zu Diensten stehen to be of service
dieselbe the same
dieser, diese, dieses this, this one
das Ding, -e thing
vor allen Dingen above all
direkt direct
doch however, but, yet
der Doktor, -en doctor
der Dollar, -s dollar
Donnerwetter! Damn it!
doppelt double
das Dorf, ¨er village
der Dorfmarkt, ¨e village market
der Dorfplatz, ¨e village square
dort there
draußen outside
drehen to turn
drei three
dreimal three times
dreißig thirty
dreizehn thirteen
drinnen inside
der dritte the third
die Droge, -n drug
der Drogenschmuggel drug smuggling
drüben over there
drücken to press, push
der Dschungel, — jungle
du you *(familiar)*
dumm stupid, dumb
die Dummheit, -en stupidity
der Dummkopf, ¨e bonehead, dumbbell
dunkel dark
die Durchsage, -n announcement
durchsuchen to search, examine
durchwählen to dial through
dürfen (u,u) to be permitted to, allowed to
Darf ich. . .? May I. . .?

E

eben just, even, precisely
echt real, authentic, genuine
die Ecke, -n corner
eher before, sooner
die Ehre, -n honor
das Ehrenwort, -e word of honor
ehrlich honest
eifersüchtig jealous
die Eifersuchtsszene, -n scene of jealousy
eigenartig strange, peculiar
eigentlich actually
eilig urgent
ein, eine a, an
einfach simple
eingießen (o,o) to pour in
sich einig sein to agree
einige some, several
einhundert one hundred
die Einkaufsquelle, -n source to buy
einladen (u,a) to invite
einmal once
einmalig unique
eins one
einschließen (o,o) to close in, lock up
einsteigen (ie,ie) to get in
eintausend one thousand
eintreten (a,e) to enter
einverstanden OK, all right
der Einwand, ¨e objection
die Einzelheit, -en detail
einzig only, single
einzigartig unique
das Eis ice, ice cream
das Eisen iron
die Eisenbahn, -en train
der Elefant, -en elephant
elf eleven
der elfte the eleventh
empfangen (i,a) to receive, welcome
das Empfangsbüro, -s hotel desk
die Empfangsdame, -n receptionist
die Empfangshalle, -n reception area
empfehlenswert recommendable
das Ende end
endlich finally, at last
England England
der Engländer, — Englishman
entdecken to discover
die Ente, -n duck

sich entfernen to remove, disappear
entkommen (a.o) to escape
entladen (u,a) to discharge
entlang along
entscheiden (ie,ie) to decide
entschuldigen to excuse
entsetzlich horrible
enttäuschen to disappoint
entweder. . .oder either. . .or
die Episode, -n episode
er he
erfahren (u,a) to get to know, learn, hear
der Erfolg, -e success
erfolglos unsuccessful
erhalten (ie,a) to receive
sich erinnern to remember
die Erinnerung, -n recollection, memory
erkennen (a,a) to recognize
erklären to explain
die Erklärung, -en explanation, declaration
erlauben to permit
die Erlaubnis, -se permission
erleben to experience
erledigen to settle, finish
erneut again
ernst serious
ernsthaft seriously
erreichen to reach, to succeed
erschrecken (a,o) to frighten
erst first
der erste the first
erstens in the first place
sich erstaunen to astonish
erstaunlich surprising
erwarten to expect
erzählen to tell
es it
essen, aß, gegessen to eat
die Essenszeit, -en dinner-time, mealtime
die Etage, -n floor
etwas some
euch you
euer your
Europa Europe
die Ex-Freundin, -nen ex-girlfriend
die Expedition, -en expedition
der Experte, -en expert

F

das Fach, ¨-er subject
fachmännisch professional
fahren (u,a) to drive
der Fahrer, — driver
das Fahrgestell, -e landing gear
der Fall, ¨-e case
in jedem Fall in any case
die Falle, -n trap
fallen (ie,a) to fall down
falsch false
falschspielen to cheat
der Familiengrund, ¨-e family reason
färben to dye
fast almost
fehlen to be missing from
Das hat uns gerade noch gefehlt. That's about all we needed.
der Fehler, — fault, mistake
feiern to celebrate
das Feld, -er field
das Fenster, — window
das Ferngespräch, -e long distance phone call
fertig ready
Wie wirst du damit fertig? How can you cope (deal) with that?
fertigwerden (u,o) to get ready
festhalten (ie,a) to hold tight
festnehmen (a,o) to arrest
die Fiesta Mexican party, celebration
die Figur, -en figure
finanzieren to finance
finden (a,u) to find
der Finger, — finger
finster dark, obscure
die Firma, Firmen firm, company
die Flasche, -n bottle
der Flecken, — spot
fleißig busy, eager, industrious
fliegen (o,o) to fly
der Flug, ¨-e flight
die Fluggesellschaft, -en airline
die Flugkarte, -n flight ticket
die Flugnummer, -n flight number
das Flugzeug, -e airplane
der Flugzeugunfall, ¨-e airplane accident
das Flugzeugunglück, -e airplane accident
das Flugzeugwrack, -s airplane wreck
folgen to follow
das Formular, -e form
die Forschung, -en research
fort away
die Frage, -n question
fragen to ask
die Frau, -en woman, Mrs.
die Frauenstimme, -n woman's voice
das Fräulein, — young lady, Miss
frei free
die Freiheit, -en liberty
freilassen (ie,a) to release
die Freude, -n fun, pleasure, joy
sich freuen to enjoy, be glad
der Freund, -e friend

freundlich friendly
frisch fresh
der **Frisör, -e** barber
der **Frisörladen, -läden** barbershop
froh happy, glad
früh early
das **Frühstück, -e** breakfast
frühstücken to have breakfast
fühlen to feel
fünf five
der **fünfte** the fifth
fünfhundert five hundred
fünfzehn fifteen
fünfzig fifty
das **Funkgerät, -e** radio set
für for
sich **fürchten** to be afraid
der **Fuß, ¨e** foot
  zu Fuß gehen to walk
der **Fußball, ¨e** soccer, soccer ball
die **Fußballnationalmannschaft, -en** national soccer team

G

ganz entire, all, whole
das **Ganze** the whole thing, affair
die **Garantie, -n** guaranty
gar nichts nothing at all
der **Gast, ¨e** guest
das **Gästebuch, ¨er** guest register
der **Gastgeber, —** host
geben (a,e) to give, exist
die **Gebühr, -en** fee, duty, charge
das **Geburtsdatum, -daten** date of birth
der **Geburtsort, -e** place of birth
die **Geduld** patience
sich **gedulden** to have patience
geehrt dear, honored
  Sehr geehrter Herr Schulz! Dear Mr. Schulz!
gefährlich dangerous
der **Gefangene, -n** prisoner
das **Gefängnis, -se** prison
gegen against
der **Gegenstand, ¨e** object
das **Gegenteil, -e** opposite
der **Gegenwind, -e** headwind
das **Geheimnis, -se** secret
gehen (i,a) to go, walk
  Wie geht's? How are you?
der **Gehilfe, -n** assistant
gehören to own, belong
der **Geier, —** vulture
das **Gelände, —** area, country, terrain
das **Geländer, —** balustrade, railing
gut **gelaunt sein** to be in a good mood
gelb yellow
das **Geld, -er** money
der **Geldschein, -e** bill (of money)
gelingen (a,u) to succeed
gemein mean
genau exact
genauso just as
die **Genehmigung, -en** authorization
der **General, -e** general
genug enough
genügen to be enough, sufficient
das **Gepäck** baggage
die **Gepäckabfertigung, -en** baggage check-in
gerade just, direct
das **Gerede** talk
gerne with pleasure
das **Geschäft, -e** store, business
der **Geschäftsmann, ¨er** businessman
das **Geschenk, -e** present
die **Geschichte, -n** story
geschwätzig gossipy, talkative
die **Geschwindigkeit, -en** speed
die **Gesellschaft, -en** society, company
das **Gesetz, -e** law
das **Gesicht, -er** face
gespannt sein to wonder
gespielt to play a part, a role
das **Gespräch, -e** conversation, discussion
das **Geständnis, -se** confession
die **Geste, -n** gesture
gestern yesterday
der **Gewinn, -e** profit
gewinnen (a,o) to win, earn
gewiß certain
die **Gitarre, -n** guitar
das **Gitter, —** iron bars, grid, fence
die **Gittertür, -en** gate
das **Glas, ¨er** glass
glauben to believe
gleich direct, same, equal
das **Gleichgewicht, -e** balance
das **Glück** luck, fortune
glücklich happy
glücklicherweise fortunately
der **Glücksgott, ¨er** lucky fellow
gnädige Frau Madam
das **Gold** gold
die **Goldgrube, -n** goldmine
mein **Gott!** my God!
das **Grab, ¨er** tomb, grave
graben (u,a) to dig
der **Grad, -e** degree
  12° Celsius – 54° Fahrenheit
grau gray
die **Grenze, -n** border
der **Grenzposten, —** border station
groß tall, big

die **Größe, -n** size
großartig excellent, great
der **Grund, ⸗e** reason, purpose
grüßen to greet
gut good
gutaussehend handsome
Guten Tag! Hi! How do you do?
gutgehen to be fine, well

H

das **Haar, -e** hair
haben (hatte, gehabt) to have
halb half
die **Halle, -n** hall
Hallo! hello!
der **Hals, ⸗e** neck
halt stop
halten (ie,a) to stop, hold
den Mund halten to shut up
Hamburg *German city*
die **Hand, ⸗e** hand
handeln to handle, trade
das **Handtuch, ⸗er** towel
hart hard
hassen to hate
hastig hurried, hastily
der **Hauptmann, ⸗er** captain
die **Hauptstraße, -n** main street
das **Haus, ⸗er** house
zu Hause at home
der **Hauseingang, ⸗e** house entrance
die **Hausnummer, -n** house number
heiraten to marry
heiß hot
heißen to call, name
Was heißt das? What does that mean?
heißlaufen (ie,au) to overheat
der **Held, -en** hero
helfen (a,o) to help
hell light, clear
das **Hemd, -en** shirt
herausholen to take out, get out
herauskommen (a,o) to come out
hereinkommen (a,o) to come in
herkommen (a,o) to approach
die **Herkunft, ⸗e** origin
der **Herr, -en** gentleman, Mr.
herrlich magnificent
herumlaufen (ie,au) to run around
herunter down
das **Herz, -en** heart
heute today
heutzutage nowadays
hier here
hierbleiben (ie,ie) to stay
hierher here
hierlassen (ie,a) to leave here
die **Hilfe, -n** help
der **Himmel** sky, heaven
hinaufsteigen (ie,ie) to climb up
hinausbringen (a,a) to bring out
hinauskommen (a,o) to come out
hinausspringen (a,u) to jump out
das **Hindernis, -se** obstacle
hineingehen (i,a) to go in
hinfahren (u,a) to drive to
hinfallen (ie,a) to fall down
hinführen to lead to
hingehen (i,a) to go to
sich **hinlegen** to lay down
sich **hinsetzen** to have a seat, sit down
hinten behind
hinterher after, afterwards
hinterlassen (ie,a) to leave behind, to leave s.th.
hoch high
die **Hochsaison, -s** peak season
hoffen to hope
die **Hoffnung, -en** hope
hoffnungslos hopeless
die **Höflichkeit, -en** politeness
die **Höhe, -n** height
holen to get
das **Holz, ⸗er** wood
horchen to listen
hören to hear
der **Hörer, —** receiver
das **Hotel, -s** hotel
die **Hotelbesitzerin, -nen** hotel owner
das **Hotelzimmer, —** hotel room
hübsch pretty
der **Hügel, —** hill
das **Huhn, ⸗er** chicken
der **Humor** humor
der **Hund, -e** dog
hundert hundred
hundertmal hundred times

I

ich I
ideal ideal
die **Idee, -n** idea
der **Idiot, -en** idiot
ihn, ihm him
ihnen them
Ihnen you *(polite)*
ihr her
im (in dem) in the
imitieren to imitate
immer always
immerhin nevertheless

in in

der **Inhalt, -e** contents

der **Inspektor, -en** inspector

instinktfolgend acting on instinct

das **Instrument, -e** instrument

intelligent intelligent

interessant interesting

das **Interesse, -n** interest

sich **interessieren** to be interested in

international international

Interpol international police

inzwischen in the meantime

irgendetwas anything, something

irgendwelche any

irgendwo any place, somewhere

der **Irrtum ¨-er** error

J

ja yes

die **Jacke, -n** jacket

die **Jackentasche, -n** pocket

jagen to hunt

das **Jahr, -e** year

jawohl yes, of course

die **Jeans** *(pl.)* blue jeans

jeder, jede, jedes each, every, any

jedenfalls however, in any case

jedesmal whenever, every time

jederzeit at any time, always

der **Jeep, -s** jeep

jemand someone

jetzt now

jung young

der **Junge, -n** boy

der **Jüngste, -n** youngest

K

die **Kabine, -n** cabin

der **Kaffee** coffee

das **Kaninchen, —** rabbit

das **Kapital, -e** capital

die **Kapitalanlage, -n** investment

der **Kapitän, -e** captain

die **Karte, -n** map, card

das **Kartenspiel, -e** card game

der **Karton, -s** box

kaufen to buy

kein, keine, keiner no, no one, nobody

auf keinen Fall on no account, no way

der **Kellner, —** waiter

kennen (a,a) to know

kennenlernen to get to know, meet

der **Kerl, -e** guy, fellow

das **Kilo, -s** kilo *(1 kilo =2.2 lbs.)*

der **Kilometer, —** kilometer *(1 kilometer =0.62 mi.)*

der **Kilometerstein, -e** milestone

kilometerweit for kilometers

das **Kind, -er** child

das **Kinderspielzeug, -e** toy

das **Kinn, -e** chin

das **Kino, -s** movie theater

die **Kirche, -n** church

die **Kiste, -n** case, trunk

klagen to complain

klar clear

die **Klasse, -n** class

das **Kleid, -er** dress

klein small, little

klettern to climb

klingen (a,u) to sound

klingeln to ring

klirren to chatter, clink

klopfen to knock

die **Kneipe, -n** slang: saloon

das **Knie, -e** knee

kochen to cook

der **Koffer, —**suitcase

der **Kollege, -n** colleague

kommen (a,o) to come

komisch funny, strange

die **Kommode, -n** chest of drawers

die **Komödie, -n** comedy

der **Kompaß, -sse** compass

das **Kompliment, -e** compliment

der **König, -e** king

können to be able, can

die **Konservendose, -n** can

der **Kontakt, -e** contact

der **Kopf, ¨-e** head

das **Kopfkissen, —** pillow

kosten to cost

köstlich delicious

der **Köter, —** cur, dog

krank sick

das **Krankenhaus, ¨-er** hospital

die **Krankenschwester, -n** nurse

der **Krankenwagen, —** ambulance

die **Krawatte, -n** tie

der **Kreis, -e** circle

kriechen to creep, crawl

die **Kritik, -en** critic

die **Küche, -n** kitchen

die **Kugel, -n** shot, ball

die **Kuh, ¨-e** cow

die **Kultur, -en** culture

sich **kümmern um** to worry, care about

der **Kunde, -n** customer

die **Kunst, ¨-e** art

der **Kunstexperte, -n** art expert

der **Kunstgegenstand, ¨-e** art object

die Kunsthandlung, -en store of fine arts
das Kunsthandwerk arts and crafts
der Künstler, — artist
der Kunstraub, -e art theft
die Kunstsammlung, -en art collection
die Kurve, -n curve
kurz short
der Kuß, ¨-sse kiss
sich küssen to kiss

L

lächeln to smile
lachen to laugh
lächerlich ridiculous
laden (u,a) to charge, load
der Laden, ¨- store
die Ladentür, -en door to the store
die Lage, -n situation, place
das Lager, — stock, supply
das Land, ¨-er land
landen to land
die Landkarte, -n map
die Landung, -en landing
lange a long time
langsam slow
lassen (ie,a) to let
der Lastwagen, — truck
laufen (ie,au) to run
  das Wasser im Mund zusammenlaufen
    my mouth is watering
laufend continuous
die Laune, -n mood
laut loud
läuten to ring
leben to live
das Leben life
leer empty
leeren to clear, empty
legen to put
Léger *French painter*
der Lehrling, -e apprentice
leid painful, disagreeable
  Es tut mir leid. I am sorry.
jem. leiden können (o,o) to like s.o.
die Leidenschaft, -en passion, emotion
leider unfortunately
leihen to lend
leise low, slight
sich leisten to afford
leiten to lead, command
der Leiter, — manager
die Leitung, -en management, phone line
lesen (a,e) to read
letzte last
die Leute *(pl.)* people
der Leutnant, -s lieutenant
lieb nice
sich lieben to love
lieber dear, rather
das Liebespaar, -e lovers
der Liebling, -e dear
das Lieblingsgetränk, -e favorite drink
das Lied, -er song
liefern to deliver
die Lieferung, -en delivery, shipment
liegen (a,e) to lie, to be
die Linie, -n line
links left
die Liste, -n list
das Loch, ¨-er hole
der Lohn, ¨-e salary
los off
  Was ist los? What's the matter?
losfahren (u,a) to depart
losfliegen (o,o) to fly away
losgehen (i,a) to depart, go
losschnallen to unbuckle
die Luft, ¨-e air
die Lufthansa *German airline*
die Lüge, -n lie
lügen (o,o) to lie
der Lügner, — liar
der Lump, -e scamp, scoundrel
lustig funny
der Luxus, -se luxury

M

machen to do
das Mädchen, — girl
das Mal, -e time, turn
mañana *(Spanish)* tomorrow
manche, -er, -es some, many
der Mann, ¨-er man
die Männerstimme, -n man's voice
die Mannschaft, -en team
Maracas *Spanish instrument*
die Mark, -en mark *(German money)*
die Maschine, -n machine
die Maske, -n mask
die Maus, ¨-e mouse
Maya *members of a tribe of Central American Indians of Yucatan, Guatemala, and British Honduras*
das Meer, -e sea
das Meerwasser seawater
mehr more
mehrere several
mehrmals several times
mein my
meinen to think, have good intentions

die **Meinung, -en** opinion
meistens most
melden to announce
die **Menge, -n** quantity, crowd
merken to notice
das **Messer, —** knife
der **Meter, —** meter *(1 meter =1.094 yards)*
mexikanisch Mexican
Mexiko Mexico
mich me
mieten to rent
die **Mieze, -n** pussy-cat
die **Milch** milk
das **Militär, -s** military
der **Militärhubschrauber, —** military helicopter
die **Milliarde, -n** billion
der **Millionär, -e** millionaire
die **Million, -en** million
die **Minute, -n** minute
mir me
mitbringen (a,a) to bring along
miteinander together
das **Mitgefühl, -e** sympathy
das **Mitleid** pity
mitnehmen (a,o) to take along
der **Mitreisende, -n** travel companion
die **Mitte, -n** middle, center
Mittelamerika Central America
mittlere, -es middle, medium
möchten (o,o) to want
mögen (o,o) to like
möglich possible
möglicherweise possibly, perhaps
die **Möglichkeit, -en** possibility
der **Moment, -e** moment
der **Monat, -e** month
der **Mond, -e** moon
das **Mondlicht, -er** moonlight
der **Mörder, —** murderer
morgen tomorrow
der **Motor, -en** motor, engine
müde tired
der **Mund, ¨-er** mouth
das **Museum, -seen** museum
die **Musik** music
der **Musikant, -en** musician
müssen (u,u) to have to, must
der **Mut** courage
mutig brave, courageous

N

na und so what
nach after, to
der **Nachbar, -n** neighbor
nachdenken (a,a) to think about
nachfragen to ask for
nachlaufen (ie,au) to run after
nachmittag afternoon
nachprüfen to inspect, examine
die **Nachricht, -en** news, message
nachsehen (a,e) to check
nächst next
die **Nacht, ¨-e** night
nachts at night
der **Nacken, —** neck
nahe near by
die **Nähe, -n** not far from
sich **nähern** to approach
naiv naive
der **Name, -n** name
namens called
die **Nase, -n** nose
natürlich of course
neben beside, close to
negativ negative
nehmen (a,o) to take
nein no
nennen (a,a) to call
nervös nervous
nett nice
neu new
neue, -er, -es new
neugerig curious
die **Neuigkeit, -en** news
neun nine
der **neunte** ninth
neunzehn nineteen
nichts nothing
nicht wahr isn't it
nicken to nod
nie never
niedrig low
niemals never
niemand no one
noch still
nochmal again, once more
die **Nonne, -n** nun
der **Norden** north
normal normal
der **Notanruf, -e** emergency call
notieren to note
die **Nummer, -n** number
nun now
nur only
nützen to be useful
nützlich useful

O

oben above
öde empty, deserted

oder or
oft often
offiziell official
öffnen to open
ohne without
das Öl, -e oil
der Öldruck, -e oil pressure
die Ölpanne, -n oil breakdown
die Ölpumpe, -n oil pump
der Öltank, -s oil tank
optimistisch optimistic
die Ordnung, -en order
organisieren to organize
orientieren to orientate
das Ornament, -e ornament
der Ort, -e place
das Ortsgespräch, -e local call
die Ortszeit, -en local time
der Ozean, -e ocean

P

paar pair, couple
packen to pack
das Paket, -e package
la palma *(Spanish)* palm tree
die Palme, -n palm tree
das Palmenblatt, ⸚er palm leaf
der Palmengarten, ⸚ palm garden
die Panik, -en panic
das Papier, -e paper
die Papiere *(pl.)* documents
der Paß, ⸚sse pass, passport
der Passagier, -e passenger
die Passagierliste, -n passenger list
passieren to happen, pass
die Paßkontrolle, -n passport inspection
die Pause, -n break, pause
das Pech bad luck, misfortune
der Pechvogel, ⸚ unlucky person, unlucky bir
per by
perfekt perfect
die Person, -en person
die Personalien *(pl.)* identification papers
Pesos *Mexican money*
pflegen to take care of
der Pfennig, -e penny
phantastisch fantastic
Picasso *French painter*
der Pilot, -en pilot
die Pinte, -n *(slang)* tavern
die Piste, -n runway
der Plan, ⸚e plan
planen to plan
der Plattenspieler, — record player
der Platz, ⸚e place, seat
die Platzreservierung, -en seat reservation
plötzlich suddenly
das Poker poker
die Polizei police
das Polizeiauto, -s police car
der Polizeihund, -e police dog
die Polizeikarte, -n police identification
der Polizist, -en policeman
die Posaune, -n trombone
die Post post office
die Postkarte, -n postcard
praktisch practical
der Preis, -e price
prima excellent
das Prinzip, -ien principle
das Privatflugzeug, -e private plane
die Privatsammlung, -en private collection
das Problem, -e problem
der Professor, -en professor
prophezeien to prophesy
Prost! cheers, to your health
der Protest, -e protest
prüfen to proof, check, test, examine
der Punkt, -e point
pünktlich on time, punctual
die Pyramide, -n pyramid

Q

der Qualitätsgegenstand, ⸚e high quality article
die Quelle, -n origin, source

R

rasieren to shave
das Rasiermesser, — razor blade
der Rat, ⸚e advice
rauchen to smoke
der Raum, ⸚e room
rauskommen (a,o) to leave
reagieren to react
die Reaktion, -en reaction
das Recht, -e right
Es ist mir recht. That's all right with me.
rechthaben to be right, correct
rechts right
reden to speak, talk
die Reeperbahn *amusement area in Hamburg*
der Regen rain
der Regengott, ⸚er rain god
reich rich
der Reichtum, ⸚er wealth
die Reifenspur, -en tire track
die Reihe, -n row
an der Reihe sein to be one's turn

die Reise, -n travel, trip
das Reisebüro, -s travel agency
der Reisegefährte, -n travel companion
reisen to travel
der Reisepaß, -̈sse passport
rennen (a,a) to run
die Republik, -en republic
republikanisch republican
reservieren to reserve
der Rest, -e rest
das Restaurant, -s restaurant
retten to save
der Revolver, — revolver
das Rezept, -e recipe, formula
sich richten to turn to s.o.
richtig right, correct
die Richtung, -en direction
riechen to smell
das Risiko, -s risk
riskant risky
riskieren to risk
rollen to roll
rot red
der Rücken, — back
der Rückflug, -̈e return flight
die Rückkehr, -en return
der Ruf, -e call, reputation
rufen (ie,u) to call
die Ruhe, -n silence, peace
Laß mich in Ruhe! Leave me alone.
ruhig quiet
die Ruine, -n ruin

S

die Sache, -n object, affair
das Sammlerstück, -e collector's item
die Sammlung, -en collection
der Sand sand
der Sänger, — singer
Sankt Pauli *city part of Hamburg*
schade too bad
das Schaf, -e sheep
schallend resounding, bursting
schallend lachen to burst from laughing
die Schallplatte, -n record
der Schalter, — counter, window, switch
scharren to scratch
der Schatz, -̈e treasure, my love
schätzen to value, estimate
schauen to look
das Schaufenster, — store window
der Scheck, -s check
der Schein, -e bill, shine
scheinen (ie,ie) to seem, shine
schicken to send
das Schiff, -e ship
schieben (o,o) to push
schief bent, crooked
Alles geht schief. Everything goes wrong.
schießen (o,o) to shoot
schildern to describe
schlafen (ie,a) to sleep
der Schlag, -̈e bang, blow
schlagen (u,a) to hit
schlau clever, sly
schlecht bad
schleppen to carry
schließen (o,o) to shut, close
schließlich finally
schlimm bad
der Schluß, -̈sse end, conclusion
der Schlüssel, — key
der Schmerz, -en pain
schmerzen to hurt
der Schmuggel smuggling
schmuggeln to smuggle
die Schmuggelware, -n smuggled goods
der Schmuggler, — smuggler
schmutzig dirty
schneiden (i,i) to cut
schnell fast
der Schnurrbart, -̈e mustache
schon already
schön beautiful
die Schöne, -n beauty
der Schrank, -̈e closet, cupboard, cabinet
schrecklich horrible
der Schrei, -e cry
einen Schrei ausstoßen to scream
schreiben (ie,ie) to write
die Schreibmaschine, -n typewriter
schriftlich written
der Schritt, -e step
der Schuft, -e scoundrel, bastard
die Schuld fault
schulden to owe
schuldig guilty
die Schulter, -n shoulder
der Schuß, -̈sse shot
die Schüssel, -n bowl
schützen to defend, protect
der Schwager, -̈ brother-in-law
schwanger pregnant
der Schwanz, -̈e tail
schwarz black
schweigen (ie,ie) to be quiet
das Schwein, -e pig
schwer heavy
die Schwerarbeit, -en heavy work
schwierig difficult
die Schwierigkeit, -en difficulty
sechs six

der **sechste** sixth
sechzehn sixteen
sechzig sixty
sehen (a,e) to see
sehr very
die **Seife, -n** soap
sein his, its
sein (war, gewesen) to be
seit since
die **Seite, -n** page, side
die **Seitenstraße, -n** side street
der **Sekt, -e** champagne
die **Sekunde, -n** second
selber self
selbst self, personally
selbstverständlich of course
selten rare
seltsam strange
senden (a,a) to send
senken (a,u) to sink
der **Sessel, —** armchair
sich **setzen (a,e)** to sit down
sich itself
sicher certainly, secure
die **Sicherheit, -en** security
sichtbar visible
sie she
Sie you *(polite)*
sieben seven
der **siebte** seventh
siebzehn seventeen
siebzig seventy
sinken (a,u) to go down, sink
die **Situation, -en** situation
der **Sitz, -e** seat
sitzen (a,e) to sit
so so
das **Soda** soda
sofort immediately
sogar even
solche such
der **Soldat, -en** soldier
sollen to be supposed to, should
die **Sonne, -n** sun
sonst otherwise
die **Sorge, -n** sorrow, worry
sorgenvoll worried
soviel so much
sparen to save
spät late
spätestens not later than
der **Spaziergang, ⸚e** walk, stroll
spekulieren to speculate
der **Spiegel, —** mirror
das **Spiel, -e** game
spielen to play
die **Spielkarte, -n** playing card
spontan spontaneous
sprechen (a,o) to speak
der **Sprecher, —** speaker
springen (a,u) to jump
der **Spürhund, -e** pointer, bloodhound
stabil stable
die **Stadt, ⸚e** town
die **Stadtmitte, -n** downtown
der **Stadtteil, -e** section of a town, quarter
das **Stadtviertel, —** city quarter, part of town
das **Stadtzentrum, -en** downtown
stammen to come from
stark strong
der **Start, —** start
startbereit ready to start
starten to start
der **Staub** dust
der **Staubwirbel, —** dust cloud
staunen to be astonished
stecken to put, to stick
stehen (a,a) to stand
stehenbleiben (ie,ie) to stop
stehlen (a,o) to steal
steigen (ie,ie) to climb, go up
der **Stein, -e** stone
die **Stelle, -n** place
  an meiner Stelle in my place
stellen to put
  Fragen stellen to ask questions
sterben (a,o) to die
die **Steuer, -n** tax
das **Steuer, —** driving wheel
der **Steward, -s** steward
die **Stewardeß, -ssen** stewardess
der **Stift, -e** pen
still quiet
stimmen to be right, correct
stoßen (ie,o) to push
der **Strand, ⸚e** beach
die **Straße, -n** street
die **Straßenkreuzung, -en** street crossing, intersection
der **Straßenrand, ⸚er** side of the street
die **Straßenseite, -n** sidewalk
streichen (i,i) to caress
der **Streifen, —** stripe, strip
der **Streit, -s** fight, quarrel
streng strong
das **Stück, -e** piece
der **Stuhl, ⸚e** chair
die **Stunde, -n** hour
stundenlang for hours
suchen to look for
der **Supermarkt, ⸚e** supermarket
süß sweet
die **Süße, -n** sweetheart

T

der Tag, -e day
die Tasche, -n pocket
die Tasse, -n cup
der Tausch, -e exchange
sich täuschen to fool s.o., be mistaken
es täuscht it's deceiving
tausend thousand
das Taxi, -s taxi
der Teil, -e part
das Telefon, -e phone
der Telefonanruf, -e phone call
das Telefonbuch, ¨-er phone book
telefonieren to call, phone
die Telefonnummer, -n phone number
die Telefonistin, -nen operator
die Telefonzelle, -n phone booth
der Teller, — plate
der Tempel, — temple
der Temperaturanzeiger, — temperature marker, gauge
der Teppich, -e carpet
der Termin, -e deadline
teuer expensive
das Theater, — theater
tief deep
tippen to type
der Tisch, -e table
toll wild
der Ton, -e clay
die Töpferware, -n pottery
tot dead
der Tote, -n dead person
töten to kill
sich totlachen to die laughing
totschlagen (u,a) to kill
die Zeit totschlagen to waste time, to pa: the time
der Tourist, -en tourist
traditionell traditional
tragen (u,a) to carry, wear
der Träger porter
der Transport, -e transport
träumen to dream
traurig sad
treffen (a,o) to meet
der Treffpunkt, -e meeting point
die Treppe, -n stairway
trinken (a,u) to drink
das Trinkgeld, -er tip
triumpfieren to triumph
trocken dry
der Trommler, — drummer
die Trompete, -n trumpet
tropisch tropical
trotzdem although
Tschüß! By, by! See you!
tuckern to rattle
tun (tat, getan) to do
die Tür, -en door

U

über over
überall everywhere
überlegen to think about
übermorgen day after tomorrow
übernachten to stay overnight
übernehmen (a,o) to take over
überqueren to cross
überraschen surprise
überschreiten (i,i) to go across
die Überschrift, -en headline
überwachen to watch over, inspect, guard
überzeugen to convince
übrigens besides
die Uhr, -en clock
um about, around
sich umdrehen to turn around
umgehen (i,a) to go around
der Umsatz, ¨-e turnover, returns
sich umschauen to look around
sich umsehen (a,e) to look back
unangenehm unpleasant
unbedingt absolute, for sure
unbeholfen clumsy, helpless
unbeirrbar unperturbed, undisturbed
unbeschädigt undamaged
und and
und so weiter and so on
unecht false
unerlaubt not allowed
der Unfall, ¨-e accident
unfreundlich unfriendly
ungeduldig impatient, restless
ungefähr about, almost
ungelegen inconvenient
ungemütlich uncomfortable
ungewollt unintentional
unglaublich unbelievable
die Uniform, -en uniform
unmöglich impossible
das Unrecht, -e injustice
unruhig restless
uns us
unschuldig innocent
unsichtbar invisible
der Unsinn, -e nonsense
unsinnig absurd
unter under
unterbrechen (a,o) to interrupt
unterentwickelt underdeveloped

unterhaltsam amusing
der Unterschied, -e difference
unterschreiben (ie,ie) to sign
die Unterschrift, -en signature
untersuchen to examine, inspect
die Untertasse, -n saucer
unterzeichnen to sign
unwahrscheinlich unlikely
unwichtig unimportant
unzufrieden dissatisfied
die Ursache cause, reason
keine Ursache it's nothing, don't mention it

V

die Vase, -n vase
der Vater, ¨ father
sich verabreden to make an appointment
die Verabredung, -en appointment
sich verärgern to irritate, annoy
verbieten (o,o) to forbid
verbinden (a,u) to connect
die Verbindung, -en connection, relation
verbringen (a,a) to pass
der Verbrecher, — criminal
verdächtig suspicious
verdienen to earn
der Verehrer, — admirer
die Vereinbahrung, -en agreement
verfolgen to pursue
die Verfügung, -en disposition
vergehen (i,a) to pass by
vergessen (a,e) to forget
sich verhalten (ie,a) to behave
sich verheiraten to get married
die Verheißung luck, promise
verhören to interrogate
verkaufen to sell
verladen (u,a) to load
verlassen (ie,a) to quit, leave
sich verlaufen (ie,au) to lose the way
verleihen (ie,ie) to borrow
sich verletzen to hurt, injure
sich verlieben to fall in love
verlieren (o,o) to lose
der Verlust, -e loss
veröffentlichen to publish
verpacken to pack up
verrückt crazy
der Verrückte, -n crazy man
die Versandgebühr, -en shipping cost
sich verschlafen (ie,a) to oversleep
verschwinden (a,u) to disappear
versehentlich by mistake
sich verspäten to be late
die Verspätung, -en delay
versprechen (a,o) to promise
die Versprechung, -en promise
sich verstecken to hide
verstehen (a,a) to understand
versuchen to try
der Vertrag, ¨e contract
vertrauen to trust
sich verteidigen to defend
vertraulich confidential
verweigern to refuse
verzollen to pay duty on
der Vetter, — cousin
das Vieh cattle, livestock, beast
viel much, a lot
vielleicht perhaps
vier four
vierbeinig four-legged
der vierte fourth
das Viertel, — quarter, area
vierzehn fourteen
vierzig forty
die Villa, -en villa
das Visum, -en visa
voll full, plenty
vollkommen perfect
vom (von dem) from the
vor before
vor allem above all
im Voraus in advance
vorbei by, along
vorbereiten to prepare
der Vorhang, ¨e shade
vorhin a little while ago
der Vorname, -n first name
vorne in front of
vornehm elegant
der Vorort, -e suburb
vorrätig in stock
der Vorschlag, ¨e proposition, suggestion
der Vorschuß, ¨sse advance (money)
sich vorsehen (a,e) to watch out
vorsichtig careful
der Vorteil, -e advantage
vorwärts forward, ahead
vorwurfsvoll reproachful

W

der Wachtmeister, — sergeant
der Wagen, — car
die Wahl, -en choice
wahnsinnig crazy
wahr true
nicht wahr isn't it
während during
währenddessen during that time

die **Wahrheit, -en** truth
wahrscheinlich probable
die **Wand, ⁼e** wall
die **Wange, -n** cheek
wann when
warm warm
warnen to warn
warten to wait
die **Wartehalle, -n** waiting hall
warum why
was what
sich **waschen (u,a)** to wash
das **Wasser** water
das **Wechselgeld, -er** change
wechseln to change
weg away
der **Weg, -e** way, trail
wegen because of
wegfahren (u,a) to drive away
weggehen (i,a) to go away
wegnehmen (a,o) to take away
wegwerfen (a,o) to throw away
weich soft
weil because
die **Weile, -n** moment
weiß white
weit far
weiter further
weitere more
ohne weiteres without difficulties
weiterfahren (u,a) to drive on
weitergehen (i,a) to go on
weiterlaufen (ie,au) to run on
welcher, welche, welches which, what
die **Welt, -en** world
wem to whom
wen whom
wenig little
wenigstens at least
wenn when
wer who
werden (u,o) to become, get
werfen (a,o) to throw
der **Wert, -e** value
wertlos worthless
wert sein (a,e) to be worth, valuable
wertvoll valuable
der **Westen** west
der **Whisky** whisky
wichtig important
wie how
wieder again
wiederfinden (a,u) to recover
wiederholen to repeat
wiedersehen (a,e) to see again
Auf Wiedersehen! Good by!
wieviel how much
wild wild
windig windy
winken (i,u) to wave, give a signal
wir we
wirklich really
wissen to know
wo where
wofür for what
wohin where
wohl well, probably
Zum Wohl! To your health!
wohnen to live
die **Wohnung, -en** apartment
das **Wohnzimmer, —** living room
wollen to want
womit with what
das **Wort, ⁼er** word
das **Wrack, -s** wreck
die **Wunde, -n** wound
wunderbar marvellous, wonderful
sich **wundern** to wonder
wunderschön exquisite
wundervoll wonderful
wütend furious

Y

Yukatan Yucatan *(peninsula, Southeast Mexico and Northeast Central America; 70,000 square miles)*

Z

die **Zahl, -en** number
zählen to count
der **Zahn, ⁼e** tooth
das **Zebra, -s** zebra
zehn ten
der **zehnte** the tenth
das **Zeichen, —** sign
zeigen to show
die **Zeile, -n** line
die **Zeit, -en** time
die **Zeitschrift, -en** magazine
die **Zeitung, -en** newspaper
der **Zeitungsverkäufer, —** newspaperman
die **Zelle, -n** cell
die **Zellentür, -en** cell door
das **Zentrum, -tren** center
zerbrechen (a,o) to break
zerbrechlich fragile
zerschlagen (u,a) to smash
zerstören to destroy, demolish
die **Ziege, -n** goat
ziehen (o,o) to pull

die Zigarre, -n cigar
das Zimmer, — room
zivil civil
die Zivilisation, -en civilization
zögern to hesitate
der Zoll, -̈e customs, duty
das Zollamt, -̈er customs office
der Zollbeamte, -n customs official
die Zollerklärung, -en customs declaration
die Zollgebühr, -en customs duty
die Zollpapiere *(pl.)* customs documents
der Zollstempel, — customs seal
zu at, to
der Zucker sugar
zuerst at first
zufällig accidental
zufrieden content, happy
zugeben (a,e) to admit
zumachen to close, shut
zunächst first of all
zurück back
zurückkehren to come back, return
zurückkommen (a,o) to come back
zusammen together
zuviel too much
zwanzig twenty
und zwar in fact
zwei two
der Zweifel, — doubt
der zweite the second
zwischen between
zwingen (a,u) to force
zwölf twelve
der zwölfte the twelfth